Chères lectrices,

Que ce soit en ville ou à la campagne, sans doute percevez-vous déjà tous ces signaux que la nature nous envoie pour nous avertir que le soleil va bientôt revenir. La naissance des bourgeons, le chant des oiseaux, les jours qui allongent : tout nous annonce l'arrivée prochaine du printemps, cette saison merveilleuse où nous nous sentons renaître. Notre corps et notre esprit, engourdis par un trop long hiver, se font soudain plus légers. N'avez-vous pas la sensation, à cette période de l'année, que nous devenons plus attentives aux choses et aux personnes qui nous entourent ?

L'achat d'une petite robe, une coupe de cheveux récente, un parfum de lilas et d'aubépine, de nouvelles rencontres : autant de promesses de joie et de légèreté qui s'offrent à nous, autant de prétextes pour faire des rêves qui embellissent l'existence. Sans oublier la lecture de vos romans…

Ce mois-ci, je vous invite à découvrir les premiers volets de nos deux nouvelles trilogies, « Héritage pour trois play-boys » et « La saga des McKinnon » : laissez-vous emporter par les aventures de ces deux familles aussi différentes qu'attachantes : émotion, passion, conflits et secrets seront au rendez-vous… pour notre plus grand plaisir !

Très bonne lecture,

onsable de collection

Défi pour un séducteur

EMMA DARCY

Défi pour un séducteur

COLLECTION AZUR

éditions Harlequin

Cet ouvrage a été publié en langue anglaise
sous le titre :
THE RAMIREZ BRIDE

Traduction française de
MARIE-PIERRE MALFAIT

HARLEQUIN®

est une marque déposée du Groupe Harlequin
et Azur ® est une marque déposée d'Harlequin S.A.

Photo de couverture
Brooklyn Bridge : © BLUE LINE PICTURES / GETTY IMAGES

1.

Un colis en provenance du Brésil. Déposé par un coursier qui avait pour consigne formelle de le lui remettre en personne...

Nick suivit des yeux le coursier qui quittait la pièce d'un pas pressé. La porte se referma sans bruit derrière lui. Il n'avait aucune envie de regarder le colis posé sur son bureau. Aucune envie de l'ouvrir. Il lui avait sans nul doute été adressé par son père biologique — un homme qui n'avait aucun droit de s'immiscer ainsi dans sa vie. Ce droit, il l'avait perdu seize ans plus tôt.

Non. Bien avant.

Aujourd'hui, Nick avait trente-quatre ans. Mais il n'en avait que neuf lorsqu'il avait dû affronter ce terrible sentiment de rejet. Il se souvenait avec une acuité douloureuse de ce qu'avait ressenti le petit garçon qu'il était alors, perdu dans un monde d'adultes menteurs et manipulateurs. Il s'était efforcé d'y trouver sa place. En vain.

La vérité avait été aussi brutale que catégorique : il n'y avait pas de place pour lui.

Empli d'amertume, Nick se leva de son fauteuil. Par la force des choses, il avait appris très tôt à se

7

débrouiller seul. Ce bureau faisait partie intégrante de l'empire qu'il avait bâti avec courage et ténacité. Il était le centre névralgique de son agence de publicité, qui occupait deux étages de cet immeuble prestigieux planté au cœur de Circular Quay. L'entreprise appartenait à Nick, à lui seul. Il l'avait créée de toutes pièces grâce à l'incroyable don qu'il possédait d'anticiper les envies des consommateurs. Il ne s'était jamais trompé. Et sa réussite avait été fulgurante.

Perdu dans ses pensées, Nick alla se planter devant la baie vitrée. D'un regard absent, il contempla la vue imprenable sur le port de Sydney : l'opéra et l'armature impressionnante du pont en arrière-plan. Ses concepts publicitaires novateurs, son flair infaillible en matière de marketing avaient fait de lui un homme riche, immensément riche. Séduction, luxe et glamour : c'étaient les trois ingrédients indispensables à chacun de ses projets.

Et voilà comment, aujourd'hui, il pouvait se tenir ici, fort de sa réussite, dominant la baie de Sydney de toute la hauteur de ce luxueux gratte-ciel. Il avait bâti sa fortune tout seul, sans l'aide de quiconque. Et surtout sans l'aide de ces hommes riches et puissants que sa mère avait, au fil des ans, attirés dans ses filets, obtenant d'eux tout ce que réclamait son cœur cupide.

Enrique Ramirez arrivait trop tard — beaucoup trop tard. Bien des années auparavant, le Brésilien avait eu l'occasion de changer le cours des choses, mais il s'y était refusé. Nick, alors âgé de dix-huit ans, s'était rendu à Rio de Janeiro dans l'espoir de faire connaissance avec ce père qu'il n'avait pas connu. Hélas, son initiative avait vite tourné court.

— Qu'attends-tu de moi ? Qu'es-tu venu chercher, au

juste ? avait demandé Enrique Ramirez d'un ton lourd de mépris, furieux d'être confronté chez lui et sans préavis à ce jeune homme qu'il savait pourtant être son fils.

Piqué dans son orgueil, Nick n'avait rien laissé paraître de son désarroi.

— Je n'attends rien de vous, rassurez-vous, avait-il répondu. Je voulais simplement vous voir, en chair et en os. Et vous prévenir que je porterai désormais votre nom. Je constate aujourd'hui qu'il m'appartient de droit.

La ressemblance entre le père et le fils était en effet frappante : tous deux de grande taille, ils possédaient les mêmes épais cheveux noirs, le même teint mat, des yeux verts, un nez droit, un menton volontaire orné d'une fossette.

Le doute n'était pas permis. Dès son retour en Australie, il avait accompli des démarches pour porter officiellement le nom de Ramirez.

Ses pensées se tournèrent de nouveau vers le colis qui semblait le narguer, posé au beau milieu du bureau... Pour quelle mystérieuse raison Enrique avait-il encore le pouvoir d'influencer son humeur, après tous les efforts qu'il avait faits pour le rayer de sa vie ?

La sonnerie du téléphone l'arracha à ses sombres réflexions. En quelques enjambées, il gagna son bureau et décrocha le combiné.

— Mme Condor souhaite vous parler, l'informa sa secrétaire.

Sa mère. Décidément, ses parents semblaient s'être passé le mot pour lui gâcher la journée... Etouffant un soupir, il ordonna :

— Passez-la-moi.

L'instant d'après, il entendait la voix de sa mère.

— Mon chéri ! Figure-toi qu'il s'est produit quelque chose d'extraordinaire. Il faut absolument que nous parlions, tous les deux.

— C'est ce que nous faisons, non ?

— Je veux dire : j'aimerais passer te voir. Aurais-tu un petit moment à m'accorder, ce matin ? C'est important, Nick. J'ai reçu un colis du Brésil.

La mâchoire de Nick se contracta.

— Moi aussi.

— Oh ! fit sa mère d'un ton déçu. Moi qui voulais t'annoncer la nouvelle en douceur… C'était ton père, tout de même. Mais il semblerait que j'arrive trop tard.

Elle se tut un instant avant d'exhaler un soupir.

— Quel dommage, vraiment ! Enrique devait avoir une soixantaine d'années, pas plus. Et il était si viril, si impétueux…

Une étrange douleur tordit le cœur de Nick. Il n'arrivait pas à croire qu'Enrique Ramirez n'était plus de ce monde. Mort. Disparu à jamais. Il n'y avait plus aucune chance qu'ils fassent connaissance, tous les deux.

Son regard se posa sur le paquet. C'était là leur dernier contact.

— Le paquet que j'ai reçu de lui contenait un somptueux collier d'émeraudes ! reprit sa mère.

Euphorique, elle se lança dans la description détaillée du bijou. Elle aimait les belles choses. Et tous les hommes qui avaient partagé son lit — maris ou simples amants — lui en avaient offert beaucoup en échange de ce privilège.

Elle comptabilisait cinq mariages et Nick ne se faisait aucune illusion sur la durée de vie de son couple actuel :

il suffirait qu'un milliardaire croise son chemin pour qu'elle entame une nouvelle procédure de divorce.

Aussi bizarre que cela puisse paraître, Enrique Ramirez ne faisait pas partie de ses ex-maris. Sans doute s'était-elle montrée réticente à l'idée d'épouser un Brésilien... Elle aurait été obligée de s'installer dans ce lointain pays et cette perspective l'avait probablement rebutée...

L'ancien joueur de polo international Enrique Ramirez faisait partie du jury lors de l'élection de Miss Univers, qui se tenait à Rio de Janeiro l'année où Nadia Kilman avait remporté le titre.

La suite relevait presque de l'anecdote. Il avait suffi de quelques nuits passionnées pour que Nadia tombe enceinte, alors qu'elle s'apprêtait à épouser Brian Steele, l'héritier du magnat australien de l'industrie minière, Andrew Steele. C'était sans compter l'intelligence de la belle ensorceleuse : usant de ses charmes, elle n'avait eu aucun mal à convaincre son futur époux qu'il était le père de l'enfant qu'elle portait. Et le mariage avait eu lieu, dans le faste et l'allégresse...

Au téléphone, il entendait sa mère continuer de s'extasier sur les mines d'émeraudes que les Ramirez possédaient en Bolivie, insinuant qu'il pourrait réclamer sa part d'héritage. Sa mère excellait dans l'art de réclamer.

Les souvenirs l'assaillirent de nouveau. Quelque temps après le divorce de ses parents, alors que chacun était remarié de son côté, Nick s'était débrouillé pour aller trouver Brian Steele à son bureau. Il n'avait que neuf ans à l'époque, et il voulait lui poser les questions qui le taraudaient : pourquoi ne venait-il pas le chercher à l'école ? Pourquoi n'assistait-il jamais aux manifestations scolaires comme le faisaient les autres pères divorcés ?

— Tu n'as qu'à demander à ta mère, avait répondu Brian d'un ton glacial.

— Ce n'est pas ma faute si vous ne vous aimez plus, s'était écrié Nick. Tu es mon père.

— Non, justement.

En proie à un mélange de chagrin et de colère, Nick avait refusé de s'avouer vaincu.

— Mais je suis ton fils. Ce n'est pas parce que tu as une nouvelle famille...

— Je ne suis pas ton père, avait coupé Brian, implacable. Je n'ai jamais été ton père. Pour l'amour du ciel, regarde-toi dans une glace et tu comprendras ! Tu n'as rien à voir avec moi.

Sous le choc, Nick avait gardé le silence de longues minutes. Certes, il n'avait ni les cheveux roux, ni le teint pâle de son père, mais sa mère lui avait toujours dit qu'il tenait d'elle sa peau mate et ses cheveux noirs.

— Tu ne veux plus de moi, c'est ça ? avait-il lancé d'un ton incrédule.

— C'est ça, en effet, avait répondu Brian avec cruauté. Que ferais-je du fils d'un autre ? Ton vrai père s'appelle Enrique Ramirez. C'est un ancien joueur de polo qui vit au Brésil. Je doute qu'il vienne un jour te chercher à l'école mais tu peux toujours demander à ta mère de prendre contact avec lui.

Le garçon de neuf ans qu'il était alors avait mis du temps à digérer la nouvelle. Puis il avait suivi le conseil de Brian et s'était adressé à sa mère.

— Mon chéri, je suis vraiment désolée que cette nouvelle t'ait fait de la peine, avait répondu sa mère en

12

lui adressant un sourire éblouissant. Mais ne sois pas triste : Harry fera un beau-père épatant. Il est beaucoup plus drôle que Brian, tu verras.

— Je veux connaître mon vrai père, avait martelé Nick d'un air buté.

— Ecoute, ton vrai père est un homme marié. Il n'y a aucun espoir qu'il quitte sa femme un jour. Il est trop impliqué dans la vie religieuse et politique de son pays.

Ses mains graciles s'étaient envolées comme deux colombes.

— Nous ne formerions jamais une vraie famille, même si tel était notre souhait, avait-elle conclu en haussant les épaules.

— Est-il au courant de mon existence ?

Sa mère avait exhalé un soupir.

— Oui. Le hasard a fait que nous nous sommes rencontrés quelques années après ta naissance, lors d'une grande réception organisée par ton grand-père — le père de Brian. En l'apercevant, j'ai croisé les doigts pour qu'il ne m'adresse pas la parole. Mais ta présence l'a pris de court.

— Il a deviné que j'étais son fils ?

— Tu es son portrait craché, chéri. Et puis, dès qu'il a su ton âge... J'ai été obligée de lui dire la vérité et... euh, il s'est servi de ce secret pour me faire du chantage...

Pour l'attirer dans son lit le temps d'un week-end, telle était la triste vérité ! Voilà tout ce qu'il représentait aux yeux de son père : un moyen de pression pour s'attirer les faveurs de l'ex-Miss Univers. Rétrospectivement, Nick suspectait qu'il n'avait pas eu besoin de trop insister pour qu'elle tombe de nouveau dans ses bras, au mépris des risques qu'ils encouraient tous les deux.

Il se souvenait encore des paroles accusatrices qu'il avait lancées à son père, lors de leur brève entrevue à Rio de Janeiro.

— Ma vie ne comptait guère pour toi, n'est-ce pas ?

Enrique avait claqué des doigts dans un geste agacé.

— C'est moi qui t'ai donné la vie, jeune homme, ne l'oublie pas. Efforce-toi de la savourer au jour le jour. Ressasser le passé ne t'apportera aucun réconfort, crois-moi.

C'était un sage conseil que Nick avait choisi de suivre. Et c'était précisément pour cette raison qu'il ne se décidait pas à ouvrir le paquet en provenance du Brésil...

— Et à toi, que t'a-t-il offert ? demanda sa mère sans chercher à dissimuler sa curiosité.

— Mon physique, je suppose, railla Nick.

— C'est vrai, mais ce n'est pas ce que je voulais dire et tu le sais bien. Dans sa lettre, il dit que le collier est une marque de gratitude pour le fils remarquable que je lui ai donné. J'ose penser qu'il t'a légué bien plus qu'un simple collier... si magnifique soit-il.

— Je n'ai pas encore ouvert le paquet.

— Eh bien, fais-le vite ! Tu me diras tout quand je passerai te voir. J'ai hâte d'y être ! Ton père était immensément riche, tu sais.

Oui, Nick le savait. La demeure d'Enrique Ramirez regorgeait d'objets d'art, de bibelots anciens et de meubles de style — le genre de richesses que les familles nobles se transmettaient de génération en génération.

14

Mais il ne voulait rien de tout ça. Absolument rien.

— Je serai là dans un quart d'heure, reprit sa mère d'un ton enjoué. N'est-ce pas merveilleux d'être choyée ainsi après toutes ces années ?

Le visage de Nick se rembrunit.

— Non, maman, ça n'a rien de merveilleux. Je trouve ça très insultant de la part de mon père d'avoir attendu d'être mort pour se manifester.

— Je t'en prie, Nick, ne sois pas si coincé. C'est de l'histoire ancienne. Profite plutôt de ce que tu as.

C'était là le principe qui avait régi toute l'existence de Nadia Steele-Manning-Lloyd-Hardwick-Condor…

— Bien sûr, maman. Eh bien, je suis impatient de vous voir, toi et ton collier.

Sur ces paroles teintées d'ironie, Nick raccrocha. Une fois de plus, ses yeux se posèrent sur le colis. Il était tiraillé entre l'envie de le jeter à la poubelle et celle de découvrir quelle valeur lui avait finalement accordée son père. Autant en avoir le cœur net avant de tourner la page une bonne fois pour toutes.

Avec des gestes déterminés, il ouvrit le paquet. Celui-ci contenait deux enveloppes.

L'une portait le sceau d'un notaire, Javier Estes, mandaté pour gérer la fortune de la famille Ramirez. Mais ce fut l'autre qui retint d'abord son attention. Son nom était écrit à la main sur l'épaisse enveloppe blanche. Cédant à sa curiosité, Nick lut avec soin la lettre écrite par Enrique en personne. Son contenu le laissa sans voix. Sans qu'il puisse s'expliquer comment, son père connaissait sa vie dans les moindres détails. Quant au dernier paragraphe… Il donnait soudain à sa vie un relief surprenant, somme toute plutôt excitant.

Ses pensées étaient tout entières tournées vers les dernières volontés de son père lorsque sa secrétaire ouvrit la porte de son bureau.

L'instant d'après, sa mère faisait son entrée.

Car c'était toujours une *entrée*, au sens théâtral du terme, lorsque paraissait Nadia Condor. A cinquante-cinq ans — on lui en donnait facilement dix de moins —, elle incarnait encore un certain idéal de la beauté féminine, toute en courbes voluptueuses et en élégance sophistiquée.

Où qu'elle aille, les regards se braquaient instantanément sur elle et ne la quittaient plus. Faisant fi du temps qui passe, l'ex-Miss Univers continuait à éclipser les autres femmes.

Ses cheveux noirs, brillants et ondulés, cascadaient sur ses épaules. Ses grands yeux couleur ambre possédaient une beauté hypnotique. Elle avait un petit nez droit et une bouche pulpeuse qui dévoilait des dents étincelantes dès qu'elle esquissait un irrésistible sourire.

Son cou gracile était toujours orné de magnifiques colliers, et sa silhouette longiligne était parée de vêtements de grands couturiers. Aujourd'hui, par exemple, elle portait un tailleur noir et blanc agrémenté çà et là de judicieuses touches de rouge.

Dès que la porte du bureau fut refermée, elle tendit les mains vers son fils.

— Alors ? questionna-t-elle en le gratifiant d'un sourire charmeur.

Avec une nonchalance délibérée, Nick prit appui contre son bureau.

— Si tu veux mon avis, tu n'es pas la seule à avoir

reçu ce matin un collier d'émeraudes de la part d'Enrique Ramirez, déclara-t-il en guise de préambule.

Le front lisse de sa mère se plissa, mettant à l'épreuve les nombreuses injections de Botox qu'elle avait reçues.

— Que veux-tu dire ?

— Il semblerait que mon père ait semé à tous vents au cours de sa carrière de joueur de polo. Figure-toi que j'ai un demi-frère en Angleterre et un autre aux Etats-Unis. Comme moi, tous deux ont apparemment fait bonne impression sur mon cher père défunt, bien qu'il ne se soit pas donné la peine de les reconnaître. J'en conclus qu'il a dû témoigner de la même gratitude envers leurs mères respectives.

— Oh !

Nadia haussa les épaules tandis qu'un sourire empreint de nostalgie étirait ses lèvres.

— Ton père possédait un charme irrésistible. Toutes les femmes étaient à ses pieds. Cela dit, cette nouvelle n'arrange pas vraiment tes affaires, mon chéri. Enrique a dû partager son héritage en trois.

Mais l'héritage n'intéressait pas Nick. Ce qu'il désirait plus que tout, c'était rencontrer ses demi-frères. Et pour réaliser ce vœu, il devrait d'abord se plier à la dernière lubie de son père qui avait trouvé là le moyen de vivre une autre vie par l'intermédiaire de ses fils illégitimes... Une vie cette fois faite d'amour et de promesses éternelles, de fidélité... Les termes du « testament » étaient clairs : soit il trouvait une épouse et lui faisait un enfant dans les douze mois à venir, soit il renonçait à l'idée de rencontrer ses demi-frères.

C'étaient, en substance, les dernières volontés de feu

Enrique Ramirez. Le dernier défi qu'il lançait à Nick, par-delà la mort.

Le reste ne comptait pas.

Si Nick ne croyait ni à l'amour, ni au mariage, ni au bonheur familial, il se sentait toutefois prêt à relever le défi dans le simple but de se rapprocher de ses demi-frères — une famille de sang telle qu'il n'en avait jamais eue... Eux comprendraient forcément le sentiment d'exclusion et de solitude qui le tenait depuis l'enfance.

— Il n'est pas question d'héritage, mentit-il, conscient que sa mère n'hésiterait pas à comploter s'il lui disait la vérité.

Un sourire sarcastique joua sur ses lèvres.

— Dans sa grande générosité, mon père semble avoir voulu m'offrir cette famille que j'étais venu chercher auprès de lui à dix-huit ans. Tout vient à point à qui sait attendre, n'est-ce pas ?

Troublée, sa mère fronça les sourcils.

— Deux demi-frères... As-tu l'intention de prendre contact avec eux ?

— Je n'ai pour l'instant aucun indice pour les retrouver. Eux ne savent apparemment même pas que leur vrai père s'appelait Ramirez : ils ne peuvent donc pas faire de recherche à partir de ce patronyme. Pour ma part, leur identité me sera révélée par le notaire d'Enrique quand j'aurai réglé quelques questions juridiques. Je saurai être patient. Et en attendant, je vais continuer à avancer dans mon travail, si tu le permets...

Tout en parlant, il s'était dirigé vers la porte qu'il ouvrit pour laisser passer sa mère.

— Tu n'es pas trop déçu, Nick ?

Il haussa les épaules.

— Celui qui n'attend rien n'est jamais déçu, répondit-il avec sagesse.

— Oh, toi...

Elle lui tapota affectueusement la joue puis plongea ses yeux mordorés dans les siens, comme pour le percer à jour.

— Tu aurais dû faire pression sur Enrique pour qu'il te reconnaisse officiellement. Hélas, tu es beaucoup trop fier, Nick. Trop indépendant.

— La vie m'a fait ainsi. Au revoir, maman.

Résignée, Nadia quitta la pièce sans protester, probablement impatiente d'arborer son collier d'émeraudes. Les signes extérieurs de richesse... c'était là tout ce qui comptait pour sa « pauvre » mère...

Enfin seul, Nick réfléchit à la situation. Que devrait-il sacrifier pour parvenir à ses fins ?

Il ne possédait pas l'ombre d'un renseignement sur ses demi-frères, ce serait donc une pure perte de temps que de vouloir les retrouver en ignorant les dernières volontés de son père.

Il devait se résoudre à se marier et à fonder une famille, comme le souhaitait Enrique Ramirez. Le tout était de mettre en place une situation supportable pour chacun des partenaires. Car malgré l'incongruité de la situation, les choses étaient claires pour lui : son enfant n'aurait pas à souffrir du divorce de ses parents.

Une seule femme serait capable de relever le défi à ses côtés. Tess. Oui, Tess ferait sans nul doute une épouse parfaite et une mère idéale. Elle ne ressemblait pas aux autres femmes — celles qui étaient prêtes à tout pour l'épouser par pur intérêt... Elle n'attendait rien de lui, ni d'aucun autre, d'ailleurs.

Si elle acceptait sa proposition, ils signeraient un contrat clair et détaillé, qui les protégerait tous les deux.

Peut-être serait-elle heureuse d'avoir un enfant ? Et puis, elle savait tout du passé de Nick. Peu importait qu'elle fût la fille — légitime — de Brian Steele... A l'instar de Nick, elle possédait une nature indépendante qui l'avait très vite poussée à mener sa barque seule, sans l'aide de personne.

Serait-elle prête, cependant, à accepter une telle... « collaboration » ?

2.

— Il ne te ressemble absolument pas, Tessa, bougonna Brian Steele en étudiant d'un air dépité le nourrisson de deux mois.

Ce que son père reprochait réellement à son bébé, c'était de ne pas lui ressembler, à lui… Tessa n'était pas dupe. Elle savait aussi qu'elle était l'enfant préféré de Brian Steele simplement parce qu'elle avait hérité de ses cheveux auburn, de son teint diaphane et de ses yeux bleus. Tout ça parce qu'il avait cru pendant des années être le père d'un enfant qui n'était pas le sien.

Après son divorce avec la mère de Nick, son père n'avait pas tardé à épouser une autre créature sublime : l'actrice de cinéma Livvy Curtin. Cette union improbable n'avait duré que deux ans mais Brian avait eu l'immense joie d'être père, pour de bon cette fois. Obsédée par sa carrière, aveuglée par les feux de la rampe, Livvy avait ensuite volontiers laissé la garde de leur fille à son ex-époux.

Tess n'avait jamais douté de l'amour que lui portait son père. Même après la naissance de deux fils issus d'un troisième mariage — deux garçons dont il était très fier —, il avait gardé une tendresse toute particulière pour son unique fille. Au grand désarroi de sa troisième et dernière épouse, qui avait tout fait pour que Tess parte vivre avec sa mère. Malheureusement pour elle, Livvy n'avait jamais manifesté la moindre envie de materner — à tel point que Tess n'avait pas le droit de l'appeler « maman ».

Aujourd'hui, Tess avait la ferme intention de mener une vie stable et équilibrée pour le bien-être de son enfant. Elle ne se marierait pas et n'aurait donc aucune raison de divorcer. Elle éviterait comme la peste les relations longues et compliquées. Pour elle, son fils comptait plus que tout au monde, et elle lui donnerait tout l'amour dont il avait besoin. Son héritage génétique, auquel son père était si sensible, importait peu. Elle avait donné naissance à cet enfant, il lui appartenait. Pleinement.

— Tu remarqueras tout de même qu'il a les cheveux bouclés, comme moi, fit-elle observer en passant la main sur ses cheveux.

Son père lui jeta un regard pénétrant. Les yeux bleus de Brian Steele n'avaient rien perdu de leur éclat avec les années...

Ils étaient assis dans le patio ensoleillé de la propriété que les Steele possédaient à Singleton. C'est dans cette maison de campagne que Tess avait vécu pendant sa grossesse et Brian, tout à son bonheur d'être grand-père, avait proposé à sa fille d'y rester aussi longtemps qu'elle le désirait. Pendant ce temps, son épouse et lui naviguaient entre leurs demeures de Sydney et de Melbourne, en fonction de leur carnet mondain.

Les pupilles de Brian se rétrécirent.

— Vas-tu te décider à me dire qui est le père ?

— Ça n'a pas d'importance, papa, répondit Tess en

adressant un sourire débordant de tendresse à son fils, couché dans un transat à ses pieds. C'est mon bébé.

— J'en conclus que tu n'as pas jugé utile d'épouser son père.

— Il ne l'aurait pas souhaité non plus, répliqua-t-elle sans réfléchir.

— Pourquoi donc ? insista son père, visiblement offensé.

Il était clair qu'à ses yeux, tout homme digne de ce nom aurait dû se sentir honoré de devenir son mari. Après tout, elle était la fille du milliardaire Brian Steele, l'héritière d'une bonne partie de la fortune minière de la famille.

Tess secoua la tête d'un air buté. Elle savait que son père entrerait dans une colère noire s'il apprenait que son petit-fils était l'enfant de Nick Ramirez.

— Sait-il au moins que tu as donné naissance à son enfant ?

— Non. Je ne lui ai rien dit. C'est plus simple ainsi.

— Il est marié, c'est ça ?

— Non !

Les yeux limpides de Tess rencontrèrent ceux de son père.

— Nous n'avons passé qu'une nuit ensemble, papa. Rétrospectivement, ce fut une erreur pour nous deux. Est-ce clair ?

Une erreur pour Nick, en tout cas, comme il le lui avait fait comprendre par la suite.

— Ne crois-tu pas qu'il risque de se douter de quelque chose quand il te verra avec un bébé ?

— Il y a peu de risque. Nous nous croisons rarement, expliqua-t-elle.

— Tu sembles déterminée à lui cacher la vérité, on dirait, conclut son père d'un ton mi-contrarié, mi-résigné.

Tess s'abstint de tout commentaire. C'était une situation si compliquée ! Nick aurait l'impression d'avoir été pris au piège et il serait capable de lui en vouloir toute sa vie. Il ne s'était déjà pas pardonné d'avoir passé une nuit torride avec la fille de Brian Steele... Sa réaction serait explosive s'il apprenait les conséquences de leurs étreintes passionnées !

Nick portait sur l'amour et le couple en général un regard froid et cynique. Quant aux questions de paternité, c'était un sujet fort sensible pour lui, à juste titre. Un frisson parcourut la jeune femme. Il était hors de question qu'elle s'expose à sa colère, que son fils ait à souffrir d'une situation dont il n'était pas responsable. Elle en était sûre, c'était mieux ainsi.

Tess soupira. Elle éprouvait pour Nick un désir si incontrôlable, qu'elle avait attendu de ne plus pouvoir dissimuler sa grossesse avant de cesser toute collaboration professionnelle avec lui.

La voix de son père mit un terme à ses réflexions.

— Les secrets et les cachotteries conduisent au désastre, professa-t-il d'un air sombre. Un jour viendra où ton fils voudra connaître l'identité de son père. Que lui diras-tu, alors ? Qu'il est mort, peut-être ?

— Je ne sais pas, papa. Je n'y ai pas encore songé.

— Tu ferais bien d'y penser dès maintenant, Tessa. Tire les choses au clair avec son père tant qu'il en est encore temps car ton fils a le droit de savoir d'où il vient et plus tu attendras, plus les conséquences de ton acte seront lourdes à assumer.

Bouleversée par ses paroles pleines d'amertume, Tess interrogea son père du regard.

— Tu veux parler de… de ce qui s'est passé avec Nick quand il avait neuf ans, n'est-ce pas, papa ? demanda-t-elle d'un ton hésitant.

Un rictus déforma le visage de Brian Steele.

— Qui t'a parlé de ça ?

— Livvy.

Il émit un rire sans joie.

— J'imagine bien ta mère raconter la scène avec quantité de détails mélodramatiques !

— Si tu veux tout savoir, j'ai apprécié qu'elle me dise la vérité étant donné que j'avais avec Nick des relations professionnelles.

Un sourire sans joie flotta sur les lèvres de son père.

— Et bien sûr, Livvy a sauté sur l'occasion pour te mettre au courant. Elle adore ce genre de commérages.

— Mais tout de même, ça a dû être un choc énorme pour lui quand il a découvert la vérité, insista Tess, curieuse de connaître la version de son père.

— C'est peu de le dire !

Brian Steele se tut quelques instants.

— Je regretterai toute ma vie de m'être exprimé aussi brutalement. Mais j'étais furieux contre Nadia, furieux d'avoir été manipulé et furieux qu'elle n'ait pas eu le courage de dire la vérité à son fils ! Lui n'y était pour rien. C'était juste un petit garçon décidé à se battre pour obtenir ce qu'il croyait être son dû... A savoir l'amour d'un père.

Tess le considéra avec attention.

— Dois-je comprendre que tu l'as admiré pour sa démarche, assez étonnante pour un enfant de cet âge ?

Un rire amer lui répondit.

— Oh non ! J'ai haï son audace parce que j'y voyais l'empreinte indélébile de ce fichu séducteur brésilien. La honte n'est venue qu'après.

Il exhala un soupir.

— Je le revois encore, du haut de ses neuf ans, la tête haute, le regard perçant, en train de me réclamer des comptes sur mon manque d'attention. Et moi, incapable de dominer ma colère et mon ressentiment, je n'ai rien trouvé de mieux que de lui jeter la triste vérité à la figure. J'ai vu son regard s'éteindre instantanément... un peu comme si j'avais tué quelque chose en lui.

Un silence suivit sa confession. Au bout d'un moment, il secoua la tête d'un air las.

— Je ne veux pas que ton fils — mon petit-fils — soit confronté un jour à ce genre de situation, Tessa. Je me fiche de savoir qui est le père, je pense juste à ton enfant. Ne lui fais pas ça, je t'en prie. Il a le droit de savoir, dès son plus jeune âge.

Prononcées d'un ton grave, ces paroles brisèrent d'un coup le tourbillon d'émotions qui l'agitait dès qu'elle s'autorisait à penser à Nick. Ce dernier s'était montré très mal à l'aise après la nuit qu'ils avaient passée ensemble, comme s'il se reprochait d'avoir cédé à ses pulsions... qui plus est avec la fille de Brian Steele ! Une fois la passion retombée, ils étaient convenus que ce « moment d'égarement » n'affecterait en rien leur collaboration professionnelle.

Nick faisait souvent appel à l'agence de casting qu'elle dirigeait, car il avait besoin de comédiens pour les publicités télévisées qu'il concevait. Dans les mois qui avaient suivi leur unique nuit d'amour, Tess avait espéré de tout son cœur que Nick reviendrait sur sa décision, qu'il lui proposerait de se revoir en dehors du cadre professionnel... De vivre, pourquoi pas, une aventure passionnée et durable.

C'était une pure chimère, elle le savait à présent. Nick n'avait jamais manifesté le moindre signe de rapprochement. Pire : il n'avait pas tardé à entamer une liaison très médiatisée avec un des nombreux mannequins qu'il côtoyait.

Après que Livvy l'eut éclairée sur les origines de Nick Ramirez, Tess avait été obligée de se rendre à l'évidence, si douloureuse fût-elle : Nick ne chercherait pas à se rapprocher d'elle. Pour lui, elle était avant tout la fille de Brian Steele, l'homme qu'il avait longtemps pris pour son père et qui lui avait assené la vérité avec une brutalité impardonnable. D'ailleurs, c'était sans doute par provocation qu'il avait pris contact avec son agence de casting. Puis, finalement satisfait de ses prestations, il avait continué à travailler avec elle sans aucune arrière-pensée.

Au fil du temps, une sorte d'amitié affectueuse s'était tissée entre eux, fondée sur la compréhension mutuelle de leurs passés respectifs. C'était sans compter le désir qui couvait en eux, ce désir qui les avait emportés l'espace d'une nuit...

Quoiqu'il en soit, son père avait raison, songea Tess

en s'arrachant à ses souvenirs. Ses sentiments et ceux de Nick n'entraient pas en ligne de compte : il fallait avant tout penser au bonheur de l'enfant qu'ils avaient conçu ensemble, même accidentellement. Tout enfant a le droit de connaître ses parents biologiques. Qu'à cela ne tienne, elle prendrait son courage à deux mains et annoncerait la nouvelle à Nick. Dans quelque temps, lorsqu'elle aurait mis un peu d'ordre dans ses pensées confuses.

La mélodie de son téléphone portable la fit sursauter. S'emparant de l'appareil, elle se leva et sourit à son père.

— Tu veux bien surveiller Zack pendant que je réponds ?

Brian Steele hocha la tête en marmonnant :

— Zack... quelle idée de l'avoir baptisé ainsi ! Encore une idée farfelue de ta mère, je parie.

Réprimant un rire, Tess s'éloigna vers le portail du patio. Elle attendit de l'avoir franchi avant de prendre l'appel.

— Tess Steele à l'appareil.

— Tess, c'est Nick. Nick Ramirez.

Elle s'immobilisa, comme frappée par la foudre. Après des mois de silence, Nick se manifestait alors qu'elle avait décidé de tout lui avouer. Quelle étrange coïncidence !

— Où es-tu ? reprit-il sans ambages.

Au prix d'un grand effort, Tess continua à avancer, peu désireuse que son père surprenne leur conversation. Elle se dirigea à grandes enjambées vers le terrain de polo.

Avant de parler, elle inspira profondément, priant pour que sa voix ne trahisse pas le trouble qui l'agitait.

— Quel est le problème, Nick ?

Son appel était forcément d'ordre professionnel. Son assistante avait-elle commis un impair dans une des missions qu'il lui avait confiées ?

— Il n'y a aucun problème, répondit-il. J'aimerais te parler.

— A quel sujet ?

Le silence qui suivit l'emplit d'appréhension. Avait-il appris qu'elle avait accouché ? Soupçonnait-il quelque chose ?

— Pourrions-nous déjeuner ensemble ? Tu dois être à Sydney puisque Livvy y est.

— Non, je ne suis pas à Sydney, Nick.

— Tu m'avais dit que ta mère avait besoin de toi pour diriger l'équipe du film qu'elle partait tourner aux Etats-Unis. Son premier film en tant que réalisatrice. N'est-ce pas pour cette raison que je traite avec ton assistante depuis six mois ?

— Si, si, mentit Tess, luttant contre l'angoisse qui lui nouait le ventre.

— J'ai lu dans les journaux que Livvy était rentrée hier de Los Angeles, continua Nick. Tu es forcément en Australie puisque tu réponds à mon appel...

— Oui, mais je suis à Singleton, chez mon père, coupa-t-elle.

Au moins, elle était sûre que Nick ne viendrait pas lui rendre visite ici. A l'autre bout du fil, elle l'entendit soupirer.

— Tess, j'ai besoin de te voir.

Son ton pressant la fit tressaillir.

— Pourquoi, Nick ?

— Je te donne rendez-vous à l'avant-première de *Waking Up*, jeudi prochain, enchaîna-t-il, feignant d'ignorer sa question. Si mes souvenirs sont bons, c'est toi qui t'es chargée du casting de ce film. Permets-moi de fouler le tapis rouge à ton bras si tu n'as pas de cavalier. D'accord ?

Film d'horreur destiné aux adolescents, *Waking Up* sortait juste avant les vacances de Noël afin d'attirer un large public. Pour pouvoir assister à l'avant-première, Tess avait déjà prévu de rentrer à Sydney le lendemain. Elle regagnerait son domicile de Randwick, déjeunerait avec sa mère et irait s'acheter une nouvelle robe pour le soir de la projection.

— Mais pourquoi ? murmura Tess, interloquée.

— Pourquoi pas ? Aurais-tu par hasard trouvé l'âme sœur ?

Piquée au vif par son ton railleur, Tess répliqua du tac au tac :

— Et toi ? Comment réagira ta dernière conquête en te voyant en ma compagnie ? J'ai du mal à croire que tu sois seul en ce moment...

— Je le serai avant jeudi prochain.

Tess ne sut que dire, prise au dépourvu par la détermination qui perçait dans la voix de Nick. Non, décidément, ce rendez-vous n'avait rien de professionnel... Pourtant, comment aurait-il pu découvrir le pot aux roses alors qu'elle avait disparu de la circulation bien avant que sa grossesse ne se remarque ?

Elle prit une grande bouffée d'air.

— Nick, j'aimerais savoir de quoi il retourne.

— Je t'expliquerai tout de vive voix, Tess. A quelle heure dois-je passer te prendre ?

Avec l'arrogance qui le caractérisait, Nick ne semblait pas imaginer un seul instant qu'elle puisse avoir un autre cavalier pour cette soirée. Ou bien pensait-il qu'elle annulerait tout autre engagement pour être avec lui ? Mais au fond, cela n'avait guère d'importance puisqu'elle avait pris la décision de lui révéler l'existence de leur fils... tôt ou tard. Autant profiter de cette soirée pour renouer avec Nick, ne fût-ce que sur un plan amical.

— Je descendrai au Regent Hotel. La réception aura lieu là-bas, après la projection du film.

— Nous pouvons nous y retrouver à 18 heures. Ça nous laissera le temps de prendre un verre ensemble.

Un endroit public, c'était parfait.

— D'accord.

— Merci, Tess.

Y avait-il une pointe de soulagement dans sa voix ? Pourquoi diable Nick Ramirez aurait-il besoin d'elle ?

— Tu sais, tu m'as beaucoup manqué, ajouta-t-il.

Elle devina le sourire désinvolte qui s'affichait en ce moment sur son visage, celui qu'il avait quand il décidait de manifester ou d'exprimer ses émotions.

— Je suis impatient de te revoir, ajouta-t-il avant de raccrocher.

Tess fixa longuement l'appareil. S'agissait-il bien de l'homme qui, quelques mois plus tôt, lui avait signifié qu'il souhaitait oublier au plus vite leur nuit passionnée pour se contenter de leurs relations professionnelles ?

« Tu m'as beaucoup manqué... » Les paroles de Nick résonnaient dans son esprit confus. Et il n'avait pas encore rompu avec sa petite amie du moment... C'était à n'y rien comprendre.

A moins que... Oui, c'était sans doute ça : Nick Ramirez avait besoin d'elle. D'une manière ou d'une autre, elle pouvait lui apporter quelque chose dont il avait besoin et il semblait prêt à tout pour la convaincre de l'aider — y compris étouffer pour un temps son amour-propre démesuré.

Un frisson d'excitation parcourut la jeune femme. Les choses prenaient tout à coup un tour très intéressant.

Elle n'avait rien à craindre de leur rencontre.

Au contraire, elle aurait certainement beaucoup à gagner.

3.

Nick arborait un sourire satisfait en pénétrant dans le hall du Regent Hotel. C'était le moment et l'endroit rêvés pour se rapprocher de Tess. Si le détective privé qu'avait sans nul doute engagé Enrique Ramirez avant sa mort était déjà au travail, comme Nick le pensait, il ne manquerait pas de transmettre l'information à Me Javier Estes.

Il était 18 heures et l'hôtel fourmillait de clients et de visiteurs, qui, après une journée bien remplie, programmaient déjà leur soirée. Nick prit place près de l'imposant comptoir de la réception, dans un petit espace plus calme, bien visible des ascenseurs situés au fond du vaste hall. Tess n'aurait aucun mal à le repérer lorsqu'elle descendrait de sa chambre. Contrairement à la plupart des femmes qu'il fréquentait, elle possédait un sens aigu de la ponctualité, qui lui venait sans doute de ses années de pensionnat. Nick avait lui aussi connu cette atmosphère austère et rigoureuse. N'était-ce pas là que se retrouvaient tous les enfants « gênants » ? Une chose était sûre, en tout cas : si Tess acceptait les termes de sa proposition, leur enfant n'irait jamais en pension.

A cette pensée, les battements de son cœur se précipitèrent. Si l'idée de se marier ne le gênait pas, celle de devenir père le préoccupait bien davantage. Comment, avec l'enfance qu'il avait eue, aurait-il pu avoir une vue sereine sur la question ?

C'était un défi que lui avait lancé Enrique Ramirez avant de disparaître... Aurait-il le courage de le relever ? Ces demi-frères qu'il ne connaissait pas en valaient-ils seulement la peine ?

Tout à coup, un brouhaha s'éleva et des clameurs à la fois surprises et ravies l'arrachèrent à ses pensées. Nick vit les têtes se tourner vers le majestueux escalier du hall de l'hôtel. Sans doute venait-on d'apercevoir un des acteurs du film projeté ce soir en avant-première. A son tour, Nick leva les yeux, s'attendant à reconnaître un visage familier.

Il retint son souffle. Oui, c'était en effet un visage familier, mais la scène lui semblait irréelle...

Etait-ce bien Tess qui descendait les marches comme une vraie star de cinéma ? Tess... d'une beauté époustouflante, féminine et délicate, élégante et raffinée...

Eclairée de reflets dorés, sa lourde chevelure auburn cascadait sur ses épaules nacrées, encadrant l'ovale délicat de son visage mis en valeur par un discret maquillage. Ses yeux bleu vif, pétillants d'assurance, contrastaient avec son teint translucide. Un sourire étincelant étirait ses lèvres pleines.

Quant à sa robe... C'était une folie de grand couturier, à n'en pas douter. Un bustier en dentelle mauve, brodé de perles d'argent, couvrait à peine sa voluptueuse poitrine. Plusieurs voiles de mousseline enserraient sa taille fine et ses hanches divinement féminines. Cette large ceinture

34

était ornée de rubans cousus de sequins, qui ondulaient sur la longue jupe faite d'une superposition de dentelle et de soie, formant un artistique camaïeu de violet, de parme et de gris perle. Au rythme de ses pas, voiles et dentelles dénudaient brièvement ses interminables jambes fuselées, ainsi que d'exquises sandales à talons en cuir argenté qui accentuaient encore la finesse de ses chevilles.

Pour compléter ce mélange d'élégance et de fantaisie, Tess portait un large bracelet en diamant, des boucles d'oreilles assorties et un collier d'une rare beauté : au bout d'une fine chaîne pendait un magnifique solitaire, brillant de mille feux.

Ce soir-là, la riche héritière avait clairement décidé de sortir de l'ombre...

Comme hypnotisé, Nick la regarda descendre les marches avec une grâce féline. Une sensation de chaleur surgit dans son bas-ventre tandis que ses pensées s'emmêlaient dangereusement.

Tess s'immobilisa à mi-chemin. Elle avait repéré Nick avant même de commencer la périlleuse descente des marches, juchée sur ces vertigineux talons qu'elle avait été obligée de chausser pour compléter sa tenue. Depuis quelques instants, il la fixait avec une intensité troublante, sans pour autant s'avancer à sa rencontre.

L'expression stupéfaite qui se lisait sur son visage l'emplit de plaisir. Il ne l'avait encore jamais vue en tenue de soirée et n'imaginait manifestement pas qu'elle puisse se métamorphoser ainsi... A sa décharge, Tess n'avait jamais fait d'efforts en matière vestimentaire lors de leurs rendez-vous professionnels, refusant de se conduire comme les autres femmes, prêtes à tous les excès pour attirer l'attention du beau Nick Ramirez.

Mais ce soir-là, elle n'avait pas résisté à l'envie de provoquer Nick, juste pour le pousser dans ses retranchements et l'amener, peut-être, à reconsidérer la nature de leur relation.

Il s'était écoulé près d'un an depuis qu'il avait affirmé sa décision d'oublier cette nuit torride qu'ils avaient partagée. En cet instant précis, se souvenait-il de leurs étreintes enflammées ? Etait-ce pour cette raison qu'il se contentait de la regarder d'un air abasourdi, sans esquisser le moindre pas dans sa direction ?

En proie à une soudaine irritation, Tess descendit les marches d'un pas plus décidé. Nick sortit alors de sa stupeur pour se diriger vers l'escalier. Les gens s'écartèrent sur son passage.

Cela n'avait rein d'étonnant. Grand, brun, doté d'une beauté ténébreuse, il dégageait une autorité qui forçait le respect et l'admiration. Il portait un costume sombre à la coupe impeccable qui mettait en valeur sa silhouette athlétique et faisait ressortir son charme latin.

Dès le premier regard que Tess avait posé sur lui, elle avait deviné qu'aucune femme ne devait lui résister. Et à en juger par son port de tête arrogant, il en était parfaitement conscient. Ce jour-là, elle avait décidé qu'elle serait l'exception à la règle.

C'était sans compter l'incroyable pouvoir de séduction de Nick...

Ce dernier l'accueillit au pied de l'escalier. L'obligeant à s'immobiliser sur l'avant-dernière marche, il prit sa main et la porta à ses lèvres.

36

— Une vraie star hollywoodienne, chère Tess, murmura-t-il.

Un sourire espiègle joua sur ses lèvres tandis qu'il haussait un sourcil moqueur.

— Prête pour l'avant-première ?

Réprimant un frisson, Tess se força à soutenir son regard. En aucun cas elle ne laisserait paraître les émotions qui l'agitaient.

— Disons que je me suis armée pour affronter les lumières de la rampe, mentit-elle avec une assurance qu'elle était loin d'éprouver.

Nick eut un rire ironique.

— Tu risques de faire de l'ombre à toutes les autres invitées.

— Je ne suis en concurrence avec personne, objecta-t-elle, sur la défensive. Pourquoi dis-tu ça ? Tu trouves que j'en ai trop fait ? C'est pour ça que tu me regardais avec des yeux écarquillés au lieu de venir à ma rencontre ?

Nick secoua la tête, visiblement amusé.

— Tu n'en as pas trop fait, Tess. A la vérité, tu mérites une *standing ovation* pour cette prestation. Simplement, je ne m'attendais pas à une entrée aussi... spectaculaire.

Tess haussa les épaules avec une désinvolture feinte.

— Je peux être la digne fille de ma mère quand je m'en donne la peine. Avoue que le soir d'une avant-première, c'est l'occasion ou jamais...

— Tu as raison. Disons que je ne suis pas habitué à ça de ta part.

— Ce n'est pourtant pas la première fois que tu me

vois habillée autrement qu'en pantalon, il me semble, répliqua Tess.

Elle faisait allusion à la fête donnée par un publicitaire à laquelle ils étaient arrivés chacun de leur côté... avant d'en repartir ensemble.

L'espace d'un instant, Nick plissa les yeux. Puis ses lèvres sensuelles esquissèrent une moue indolente.

— Serais-tu en train de jouer avec le feu, Tess ?

A son grand désarroi, elle sentit ses joues s'empourprer. Maudissant ce teint pâle qui trahissait la moindre de ses émotions, elle s'empressa de contre-attaquer.

— Il me semble que c'est toi qui as commencé, Nick. Je ne t'ai pas demandé de me tenir compagnie ce soir. C'est toi qui as insisté pour me servir de cavalier. L'aurais-tu oublié ?

— Non, tu as raison, admit-il avec une moue qui la fit fondre instantanément.

Elle laissa passer quelques instants, juste le temps de se ressaisir, avant de reprendre :

— Maintenant, si tu n'y vois pas d'inconvénient, nous pourrions aller manger un morceau à la brasserie de l'hôtel avant de nous rendre au cinéma.

— Vos désirs sont des ordres, murmura Nick en la gratifiant d'un sourire désarmant.

Puis, sans lui laisser le temps de réagir, il glissa la main sous son bras et l'entraîna à sa suite.

— J'avais presque oublié ton redoutable sens de la repartie, ajouta-t-il d'un ton amusé. Je comprends mieux pourquoi tu m'as tant manqué.

Ponctuant ses paroles d'un rire rauque, il darda sur elle son regard pénétrant. Au fil des secondes, Tess sentait ses défenses fondre comme neige au soleil. Pourquoi

38

était-il aussi séduisant ? Si encore il s'agissait d'une simple attirance physique... Mais ce qu'elle éprouvait pour Nick s'avérait beaucoup plus tenace et profond que le désir charnel. Leurs échanges étaient toujours animés et enrichissants. A son contact, elle avait l'impression de goûter à la vraie vie et c'était un sentiment exaltant. Au diapason avec lui, elle rêvait alors de devenir sa femme. Et Nick serait *son* homme, le seul et l'unique.

Craignant de perdre le contrôle de ses émotions si elle ne se reprenait pas sur-le-champ, Tess s'obligea à relancer la conversation d'un ton faussement dégagé.

— Alors, dis-moi ce qui a bien pu te pousser à rompre avec ta dernière conquête pour me tenir compagnie ce soir...

Il haussa les épaules.

— Oh, ce n'est qu'un concours de circonstances. Et puis, disons qu'elle était toute prête à reprendre sa liberté. J'étais déjà remplacé, conclut-il sans s'émouvoir.

— J'imagine que la pauvre s'est rendu compte à temps que tu ne lui passerais jamais la bague au doigt...

— Je n'ai pas l'habitude d'entretenir de faux espoirs chez mes compagnes, Tess.

— Malheureusement, ça ne les empêche pas de rêver. Après tout, ça fait partie du contrat.

— Quel contrat ?

— Tu sais très bien de quoi je parle, Nick. Le contrat qui circule dans l'univers doré et glacé qui est le nôtre : les hommes cherchent à séduire les plus jolies femmes en faisant miroiter leur fortune et, de leur côté, les femmes cherchent à attraper dans leurs filets les hommes les plus fortunés.

Son propre père et la mère de Nick étaient les exemples parfaits de ce mode de fonctionnent.

— Je n'ai pas besoin de payer mes petites amies, si c'est ce que tu insinues.

Tess le gratifia d'une œillade moqueuse.

— Et pourtant, c'est ce que tu fais. Ouvre les yeux, ce sont ta fortune et ta position sociale qui les attirent, voilà comment tu les achètes. Elles espèrent toutes que tu les épouseras un jour. Mais voilà, tu te défiles toujours.

Il secoua la tête.

— Je n'ai pas de prise sur leurs fantasmes, Tess, mais tu peux me croire : je fais très attention de ne pas les alimenter.

— C'est tout à ton honneur. Sans doute la marque ultime de ton intégrité légendaire.

— Le mensonge et la trahison m'ont toujours fait horreur.

Tess déglutit avec difficulté. Comment réagirait-il lorsqu'il découvrirait le secret qu'elle avait jalousement gardé pour elle jusque-là ?

Et si elle lui disait la vérité là, tout de suite, sans transition ? En proie à une soudaine fébrilité, Tess s'efforça de mettre de l'ordre dans ses idées. Non, elle attendrait encore un peu, juste le temps de découvrir les véritables raisons qui avaient poussé Nick à reprendre contact avec elle.

— Est-ce qu'un plateau de fromage et une coupe de fruits te suffiront, ou bien désires-tu quelque chose de plus consistant ? demanda Nick en l'entraînant vers une table libre, dans la brasserie qui offrait une vue panoramique sur la ville. Et que veux-tu boire ?

— Hum... Je prendrais volontiers un verre de Bailey et une grosse part de fondant au chocolat, répondit Tess d'un air gourmand. Et je te préviens tout de suite : je ne partagerai pas. Je te conseille donc de commander quelque chose pour toi si tu as vraiment faim.

Devant son expression ahurie, elle ajouta non sans ironie :

— Tu n'es pas de sortie avec un de tes top models faméliques, ce soir. Je me sens d'humeur gourmande, aujourd'hui.

Un sourire éclaira le visage de Nick.

— Les courbes féminines ne sont pas pour me déplaire, murmura-t-il en plongeant le regard dans son décolleté.

Tess pesta de nouveau contre sa peau diaphane qui s'empourprait si facilement. Son trouble grandit encore lorsqu'elle vit s'allumer la flamme du désir dans les yeux verts de Nick.

— Je vais aller commander au comptoir, dit-il, nous serons servis plus vite. Je reviens.

Elle hocha la tête, trop heureuse de cette diversion. Après tout, elle l'avait bien cherché en s'habillant ainsi... Séducteur de nature, Nick avait eu une réaction parfaitement normale. En fait, elle devrait même s'en réjouir. N'était-ce pas ce qu'elle désirait de tout son cœur...? Que Nick ait envie d'elle ? Oui, mais pas seulement physiquement, et c'était bien là le problème !

Tess secoua la tête, en proie à une immense confusion. Il ne lui restait plus que quelques minutes avant le retour de Nick, elle devait à tout prix profiter de ce bref répit pour recouvrer ses esprits. Posant les mains bien à plat sur la table, elle prit une profonde inspiration.

Mais Nick prit place en face d'elle avant même qu'elle ait pu mettre de l'ordre dans ses pensées.

— Alors, Tess, dis-moi comment tu te situes par rapport à ce contrat ?

Elle le fixa d'un air interdit.

— Quel contrat ?

— Le fameux contrat dont tu parlais tout à l'heure : les hommes cherchent à séduire les plus jolies femmes grâce à leur argent et les femmes essaient d'attirer les hommes les plus fortunés grâce à leurs charmes.

— Je n'ai pas ma place là-dedans, répondit-elle en haussant les épaules. Pour moi c'est différent. Dès qu'il est question de mariage ou même de simple liaison, les hommes songent plus à mon argent qu'à ma petite personne et je déteste être manipulée.

— Est-ce pour cette raison que tu es toujours célibataire, Tess ? Parce que tu doutes toujours de la sincérité des sentiments qu'on te porte ?

Elle fronça les sourcils.

— Essaierais-tu de me psychanalyser, Nick ? Si mes souvenirs sont bons, tu n'excelles pas dans cette discipline. La dernière fois que tu t'y es collé, tu es arrivé à la conclusion que j'avais été dupée tant de fois dans mon enfance que je m'étais transformée plus tard en vierge effarouchée. Tout ça parce que je refusais d'entrer dans ton petit jeu.

— Mon petit jeu ?

— Oui, tu sais bien : tu te lances dans une grande offensive de séduction et la femme que tu convoites, fragile et vulnérable, doit fondre devant toi. Et tu en sors victorieux, cela va de soi.

Nick haussa les sourcils.

42

— En ce qui te concerne, je n'ai pas eu l'impression de lancer une grande offensive de séduction, comme tu dis.

— Non, c'est vrai. En toute franchise, tu dégages une espèce de magnétisme naturel qui séduit les femmes sans que tu aies à fournir d'effort particulier. Mais avoue tout de même que mon indifférence t'a piqué dans ton amour-propre.

— Disons que je ne comprenais pas pourquoi une belle femme comme toi s'acharnait à brimer sa féminité, argua Nick en soutenant son regard. Tu arrivais toujours en jean et en chemise, sans maquillage, les cheveux retenus dans un chignon sévère...

— Mon travail ne m'oblige pas à user de mes charmes, Dieu merci, riposta Tess. En tant que directrice de casting, c'est le visage de mes clients que je vends, pas le mien. Je fais très attention à ne pas tout mélanger.

Nick esquissa une moue piteuse.

— D'accord, d'accord, je me suis trompé sur ton compte. Mais... j'ai eu l'occasion par la suite de me brûler au feu qui couve sous la glace, acheva-t-il d'un ton suave.

S'efforçant d'ignorer le trouble que ces paroles faisaient naître en elle, Tess haussa les épaules.

— Je t'en prie, Nick, presque douze mois se sont écoulés depuis notre seule et unique nuit ensemble...

— Peut-être, mais j'ai l'impression de mieux te connaître.

Elle baissa les yeux.

— De façon plus intime, c'est sûr, murmura-t-elle.

— Verrais-tu un inconvénient à ce que nous tentions de nouveau l'expérience, Tess ?

Posée d'un ton abrupt, sans préambule ni ambiguïté, la question la laissa sans voix. Ses pensées se bousculèrent tandis que son cœur s'emballait dans sa poitrine.

Au même instant, un serveur vint apporter leur commande, lui offrant quelques secondes de répit...

Les yeux rivés sur elle, Nick s'appuya contre le dossier de la banquette.

De toute évidence, il attendait sa réponse. Serein, très sûr de lui, elle aurait pu jurer qu'il rassemblait toute son énergie pour obtenir ce qu'il souhaitait.

Mais pourquoi avait-il envie de « tenter de nouveau l'expérience » ?

Et surtout, pourquoi *maintenant* ?

4.

Pourquoi diable avait-il posé cette question de façon aussi crue ? Nick étouffa un soupir. En face de lui, Tess semblait comme pétrifiée. Manifestement, l'idée d'une petite aventure lui répugnait. Peut-être aurait-il dû formuler les choses d'une autre façon… avec davantage de sincérité sur ses véritables intentions.

A sa décharge, il avait perdu une bonne partie de son sang-froid lorsqu'il l'avait aperçue en haut de l'escalier, un moment plus tôt. Belle à couper le souffle… sexy en diable, comme si elle avait cherché à le séduire…

Le souvenir de la nuit qu'ils avaient passée ensemble lui revint à l'esprit, toujours aussi précis et troublant. A l'époque, il s'était persuadé qu'il avait commis une erreur en mêlant travail et plaisir, mais la vérité était tout autre… La vérité, c'était qu'il s'était senti glisser sur une pente dangereuse avec Tessa Steele et son instinct avait aussitôt tiré la sonnette d'alarme : vite, il fallait à tout prix mettre un terme à cette situation. Vite, vite… et surtout, ne jamais reconduire l'expérience. Car il n'avait aucune envie d'assumer les conséquences inévitables d'une histoire comme celle-ci.

Alors que maintenant… Eh bien, les choses avaient

changé. Il portait un regard neuf sur le mariage, et, s'il devait faire un enfant à Tess, il lui faudrait bien assumer certaines responsabilités.

Son désir pour elle le tenaillait encore, avec une ardeur renouvelée, presque douloureuse. Il s'agissait à présent de se montrer plus délicat, moins... direct.

Immobile, Tess faisait mine de s'absorber dans la contemplation du serveur qui disposait les assiettes sur la table. Elle attendit le départ du jeune homme puis, d'un geste élégant, s'empara de sa fourchette et découpa un morceau de gâteau au chocolat. Elle leva enfin les yeux et Nick se sentit transpercé par son regard d'un bleu lumineux.

— Je ne comprends pas, Nick, commença-t-elle d'un ton neutre. Pourquoi aurais-tu envie, tout à coup, de passer une nuit avec moi alors qu'on ne s'est pas vus depuis plusieurs mois ?

— Il y a des souvenirs qu'on ne peut oublier, Tess. Et celui que je garde de notre nuit en fait partie. Pour être franc, je brûle d'envie de renouveler cette merveilleuse expérience.

Un flot de sang envahit le visage de la jeune femme, mais elle soutint son regard sans ciller.

— Tu m'étonnes, Nick. J'avais cru comprendre que tu préférais les aventures sans lendemain.

— C'est une attitude qui me paraît sensée, en effet. De cette manière, au moins, on n'a pas le temps de souffrir.

— Alors je réitère ma question : pourquoi veux-tu renouveler... « l'expérience » avec moi ?

Nick choisit ses mots avec soin.

— Il ne s'agirait pas d'une simple nuit, Tess.

Celle-ci fronça les sourcils.

— Essaie d'être plus clair, je t'en prie, parce que je t'avoue que je suis un peu perdue. Pourquoi es-tu revenu sur ta décision de ne pas mélanger les affaires et le plaisir ? Après tout ce temps ? Aurais-tu finalement estimé qu'une brève liaison avec moi ne nuirait pas à tes activités professionnelles ?

A la fin de sa tirade, elle porta la fourchette à sa bouche et enveloppa Nick d'un regard intrigué. Il n'y avait pas trente-six solutions, il fallait qu'il se jette à l'eau... Il serait toujours temps d'aviser par la suite !

— Il ne s'agirait pas d'une liaison, Tess. J'avais plutôt l'intention de te demander en mariage... pour fonder une famille.

Tess eut l'impression de recevoir un coup de poing dans le ventre. S'il savait qu'ils avaient déjà un enfant, tous les deux !

Quant au mariage... Tess réprima un gémissement. Nick lui proposait de devenir son mari, comme dans ses rêves les plus fous. C'était incroyable.

Sauf qu'il ne lui avait pas fait de déclaration enflammée. Il n'avait pas prononcé une seule fois le mot « amour ». Il ne lui avait pas dit, le regard débordant de tendresse, qu'elle était la femme de sa vie. D'ailleurs, elle ne l'aurait pas cru. C'était trop tard. Onze mois s'étaient écoulés depuis la nuit qu'ils avaient passée ensemble. Si Nick avait nourri des sentiments à son égard, il n'aurait pas attendu tout ce temps.

Restait donc, par élimination, cette soudaine envie de *famille*. Jusqu'à présent, Nick n'avait jamais caché son aversion profonde pour tout ce qui ressemblait à une

47

relation durable, à un engagement sincère. Pourquoi un tel revirement ?

— Pour une surprise, c'est une surprise, fit-elle observer d'une voix atone, encore sous le choc.

— Agréable, j'espère.

Il ponctua ses paroles d'un sourire charmeur. Ses yeux pétillaient d'enthousiasme. A l'évidence, il paraissait sûr de son fait.

— Je crois qu'on s'entendrait très bien, tous les deux.

Sa voix chaude, légèrement rauque, fit frissonner Tess. Pourquoi ne pas oublier les obstacles qui se dressaient entre eux, et le suivre là où il souhaitait l'entraîner ? N'était-ce pas ce qu'elle voulait, elle aussi ? Non, elle devait plutôt essayer de se ressaisir.

— Serais-tu las de papillonner, Nick ? demanda-t-elle d'un ton moqueur.

Reposant sa fourchette, elle s'empara de son verre et dévisagea Nick avec attention, impatiente d'entendre ses arguments.

— J'ai beaucoup réfléchi, tu sais. La monogamie pourrait s'avérer agréable, pourvu qu'on trouve la femme idéale.

Tess but une gorgée de son breuvage crémeux, feignant d'ignorer la bouffée d'allégresse qui l'avait envahie lorsque Nick l'avait qualifiée de « femme idéale ». Même si, de sa part, c'était une flatterie teintée de cynisme. Une femme qui le laisserait tranquille, voilà ce qu'il entendait par là ! S'il pensait qu'elle accepterait ses infidélités sans rien dire, il risquait de tomber des nues !

— Tu as l'air bien décidé à tenter l'expérience, on dirait, murmura-t-elle dans l'espoir de tester sa sincérité. Tu te sens donc prêt à rester auprès d'une femme jusqu'à ce que la mort vous sépare ?

A ces mots, il esquissa une grimace.

— Je suis en train d'évoquer une espèce de partenariat, Tess. Le jour où l'un ou l'autre ne sera plus satisfait, il suffira de rompre le pacte. C'est aussi simple que ça.

Mon Dieu, cet homme était-il donc incapable d'éprouver un sentiment sincère ?

— N'est-ce pas toi qui clamais haut et fort que la passion ne durait jamais plus de deux ans ? lança Tess en le gratifiant d'un sourire moqueur. Nous imagines-tu rester mari et femme plus longtemps que ça ?

Il hocha la tête sans ciller.

Tess n'en revenait pas : Nick Ramirez était-il réellement en train de lui proposer un engagement à long terme ?

— C'est là où nos personnalités respectives interviennent, expliqua Nick. J'ai toujours apprécié ta compagnie, Tess. Je ne m'ennuie jamais avec toi et j'ai l'impression que c'est réciproque. Je ne vois pas pourquoi cela changerait avec le temps. Et toi, qu'en penses-tu ?

— Je ne sais pas. Je ne te connais pas assez pour faire de telles suppositions. Je suis très surprise que nos rares entrevues te semblent une base suffisante pour un mariage. A vrai dire, je suis très surprise que tu envisages de te marier tout court.

Elle marqua une pause et leva un sourcil interrogateur.

— Vas-tu te décider à me dire pourquoi cette idée t'est passée par la tête ?

A peine eut-elle formulé sa question que le visage de Nick se ferma. Il n'était pas du genre à autoriser une femme — fût-elle bientôt la sienne — à connaître ses secrets : tel était le message qu'elle lut dans son regard. A son insu, il venait de répondre en partie à la question qu'elle lui avait posée : il avait *besoin* de se marier et il l'avait choisie, elle, comme épouse. Mais quelles que soient ses véritables motivations, il n'avait pas l'intention de les lui dévoiler.

Elle comprenait en revanche très bien pourquoi son choix s'était porté sur elle : elle l'avait laissé partir avec une autre sans faire de scène, sans même chercher à le retenir, et elle se moquait de sa fortune puisqu'elle était elle-même riche à millions. Bref, il pensait qu'elle saurait s'effacer une fois son objectif atteint.

Un mélange de colère et de ressentiment la submergea comme elle attendait que Nick trouve les mots justes pour tenter de la convaincre. Assis en face d'elle, il semblait perdu dans ses pensées. Une expression empreinte de gravité voilait son beau visage. Au bout de quelques instants, il plongea son regard dans le sien.

— J'ai envie d'une famille, commença-t-il. J'ai envie d'offrir à notre enfant un environnement plus stable et plus équilibré que celui que nous avons connu. Tu ne peux que me suivre sur cette voie, n'est-ce pas, Tess ? Etant donné ce que nous avons vécu tous les deux...

Il marqua une courte pause durant laquelle son regard devint encore plus intense.

— ... nous ne pouvons que faire mieux. Beaucoup mieux.

L'espace d'un instant, Tess crut que son cœur cessait de battre. Il avait dit « notre enfant »... Mon Dieu, il était au courant pour Zack ! Voilà pourquoi il avait voulu la voir.

— Je crois sincèrement qu'on pourrait y arriver ensemble, reprit-il d'un ton plus pressant.

Tess déglutit avec peine. Pris au piège d'une paternité non désirée, Nick se sentait obligé de l'épouser pour le bonheur futur de leur enfant.

— Tu n'es pas obligé de m'épouser, objecta-t-elle d'une voix étranglée, répugnant à l'idée qu'il se sente contraint d'une quelconque manière. Je suis prête à partager la garde de Zack avec toi. En fait, je suis même très heureuse que tu souhaites prendre part à son éducation.

— Zack ?

Nick la considérait avec attention, sourcils froncés.

A l'instar de son père, il n'appréciait manifestement pas le prénom qu'elle avait choisi pour leur fils... Piquée au vif, Tess releva le menton.

— Ne commence pas à tout critiquer, d'accord ? Après tout, tu n'étais pas là quand j'ai accouché il y a deux mois...

— Tu as accouché... de notre fils... il y a deux mois ?

Il avait prononcé ces mots d'une voix étrangement enrouée, et ses traits contractés trahissaient une intense tension.

En entendant le cliquetis cristallin du verre qui se brise, Tess baissa les yeux. Le verre de Martini que tenait Nick quelques instants plus tôt gisait sur la table. Les doigts de ce dernier étaient encore crispés autour du pied. Des gouttes de sang glissèrent de son pouce, maculant de rouge la nappe d'un blanc éclatant.

Pétrifiée, Tess contemplait la scène sans mot dire.

Elle s'était trompée... Nick ignorait l'existence de Zack...

Prise de vertige, elle ferma les yeux. Par sa faute, la situation venait de lui échapper.

Il ne lui restait plus qu'à attendre l'impact...

5.

Ce n'était pas un mensonge. C'était la vérité.

Abasourdi, Nick tentait désespérément de mettre un peu d'ordre dans ses pensées. Dans quel intérêt Tess lui mentirait-elle ? Et puis, l'expression de stupeur qui s'était peinte sur son visage lorsqu'elle avait compris sa méprise était plus éloquente que tous les discours du monde. A l'évidence, elle avait cru qu'il était au courant de l'existence de l'enfant... et que c'était pour cette raison qu'il la demandait en mariage.

En acceptant peu à peu cette vérité aussi stupéfiante que merveilleuse, d'autres vérités, plus douloureuses, lui revenaient à la mémoire. Les phrases qu'avait écrites Enrique dans sa lettre posthume résonnaient cruellement à ses oreilles.

« Je me souviens comme si c'était hier de ce jour où tu m'as rendu visite, peu après ton dix-huitième anniversaire. Je me souviens du mépris qui voilait ton regard lorsque tu as évoqué mon train de vie, ma tendance à passer de jolie femme en jolie femme sans rien sacrifier de mon indépendance. Ouvre les yeux, Nick : ne

crois-tu pas que tu suis le même chemin, simplement
parce que cela t'est facile et agréable ?

» La vérité, c'est que tu marches dans mes pas... »

En lisant cela, Nick avait songé que c'était un mensonge. Jamais il n'aurait laissé derrière lui des enfants sans père...

Pourtant, c'était exactement ce qui s'était passé... avec Tess, de surcroît. Il lui avait tourné le dos alors qu'elle attendait son enfant. Un enfant dont il ignorait tout.

Un fils qui avait vu le jour deux mois plus tôt.

Un fils illégitime.

— Mademoiselle Steele, votre limousine vous attend.

Les paroles du portier mirent un terme brutal aux réflexions agitées de Nick.

— Non ! lança-t-il d'un ton péremptoire en abattant sa main libre sur la table. Dites au chauffeur que nous n'avons plus besoin de lui.

Le portier se pencha vers lui d'un air inquiet.

— Vous vous êtes blessé, monsieur ? Voulez-vous que j'appelle l'infirmière de garde ?

Blessé ? Nick baissa les yeux. Des éclats de verre brillaient sur la nappe tachée de Martini. Ses doigts tenaient encore le pied teinté de sang.

— Quelques mouchoirs en papier devraient suffire à stopper l'hémorragie, suggéra Tess.

Nick leva les yeux vers elle, encore déboussolé. A côté d'eux, le portier hésitait.

— Si on a servi un verre fêlé à M. Ramirez...

— Non, ce n'est rien, affirma Nick. Je vais prendre mon mouchoir.

Joignant le geste à la parole, il saisit le triangle de coton blanc qui ornait sa pochette et enroula le mouchoir autour de sa main blessée.

— Je suis désolé, marmonna-t-il en maudissant son manque de sang-froid.

— Ce n'est rien, monsieur. Je vais envoyer quelqu'un pour tout nettoyer. Au sujet de la limousine, mademoiselle Steele...

— Tess...

Tess retint son souffle. Le ton de Nick était presque menaçant et son regard rivé au sien reflétait une détermination féroce. Mieux valait se résigner à ce changement de programme impromptu.

— Je n'en ai plus besoin. Prévenez le chauffeur que j'ai changé d'avis.

Le portier hocha poliment la tête avant de s'éclipser, vite remplacé par un serveur qui entreprit de débarrasser la table.

— Tu devrais t'assurer que la coupure n'est pas profonde, conseilla Tess en baissant les yeux sur sa main bandée.

Nick secoua la tête sans la quitter des yeux. Appuyée contre le dossier de la banquette, les mains posées sur ses genoux, elle paraissait calme et détachée mais ses pommettes rougies trahissaient son agitation.

Il souleva le mouchoir pour examiner la plaie.

— Un simple pansement fera l'affaire, déclara-t-il pendant que le serveur terminait de nettoyer la table.

Une poussée d'adrénaline le traversa et il serra les poings, prêt à attaquer. Mais c'était Enrique qu'il aurait aimé affronter, pas Tess.

Au contraire : elle lui apportait sur un plateau d'argent la solution à son problème.

Il allait se montrer patient et compréhensif avec elle, il la persuaderait en douceur de l'épouser et, surtout, il prouverait à son père qu'il avait eu tort en le comparant à lui.

— Désirez-vous un autre verre, monsieur ?

— Non, merci.

Mieux valait garder les idées claires pour présenter ses arguments à Tess. Car il ne s'agissait plus de l'épouser pour retrouver ses demi-frères. Non, l'enjeu était tout autre désormais : il s'agissait avant tout d'assurer le bonheur de *son propre fils* !

Au bout de ce qui lui parut une éternité, le serveur s'éloigna.

— Si je comprends bien, commença Nick d'un ton posé, tu as accepté mon rendez-vous car tu voulais m'annoncer la nouvelle. C'est bien ça, Tess ?

Elle secoua la tête.

— Disons plutôt que j'étais venue tâter le terrain. Je voulais savoir pourquoi tu avais si soudainement besoin de moi. Je me demandais si tu étais au courant...

Un soupir vint clore sa phrase inachevée.

— Pourquoi ne m'as-tu rien dit quand tu as découvert que tu étais enceinte, Tess ? demanda Nick à brûle-pourpoint.

La question plana entre eux, lourde de réprobation. Tess sembla se troubler et ses yeux s'assombrirent.

— Je ne voulais pas t'en faire part, répondit-elle finalement.

— Pourquoi ?

Elle haussa les épaules, visiblement réticente à exposer ses motivations.

Nick fronça les sourcils.

— Est-ce que tu as cru que je chercherais à nier ma paternité ?

Elle prit son verre pour boire une gorgée, puis le reposa.

— Nous avons utilisé des préservatifs, cette nuit-là, lui rappela-t-elle.

— Enfin, Tess, tu sais que leur efficacité n'est pas garantie à cent pour cent. Si tu veux tout savoir, l'un d'eux a craqué. C'est d'ailleurs pour cette raison que je t'ai demandé si tu prenais la pilule.

Elle toussa avec nervosité.

— Je t'ai menti à ce sujet, avoua-t-elle.

Nick haussa les sourcils.

— Mais pourquoi ?

— Parce que je n'avais pas envie que tu saches que ma vie amoureuse ressemblait à un immense désert ! répondit Tess avec une pointe d'irritation dans la voix. Tu me considérais déjà comme une vierge effarouchée... Il m'a semblé plus... simple de dire que je prenais la pilule.

Elle leva les yeux au ciel avant de laisser échapper un rire d'autodérision.

— J'imagine que les femmes que tu séduis d'habitude prennent toutes leurs précautions. Eh bien, moi, je n'étais pas préparée à ce qui est arrivé. Tu comprends ?

— Et c'est pour cette raison que tu n'as pas jugé utile de me prévenir que tu attendais un bébé ?

Cette fois, elle releva le menton et planta son regard dans le sien.

— N'est-ce pas toi qui avais spécifié que les choses n'iraient pas plus loin, entre nous ? Une nuit, une seule, c'était tout ce que tu voulais de moi.

— Je ne voulais pas gâcher nos relations professionnelles, corrigea-t-il, touché par la tristesse qui perçait dans sa voix. Mais tout de même, Tess, un bébé, ça change pas mal de choses.

A sa grande surprise, la jeune femme donna libre cours à sa rancœur.

— Mettre un bébé au monde, c'est sans doute la plus belle chose qui soit dans la vie d'une femme, mais tu m'avais rejetée, Nick. Pourquoi aurais-je eu envie de partager ce bonheur avec toi ? Quand j'ai appris que j'étais enceinte, tu étais déjà dans les bras d'une autre !

Une vague de honte submergea Nick. Le tableau était clair, à présent. Aussi égoïste que ses parents, il avait préféré échapper aux sentiments qui naissaient en lui en remplaçant Tess, purement et simplement. Il s'était comporté avec elle d'une façon ignoble et méprisable.

— Je suis désolé, dit-il dans un murmure, choqué par la vacuité de ces mots. Sincèrement désolé.

Comme il avait honte d'avoir blessé Tess, cette femme qu'il appréciait tant, cette ravissante créature qu'il aurait tant aimé garder auprès de lui !

La colère qui bouillonnait dans les yeux bleus de sa compagne se mua en scepticisme. Comment trouver les mots justes qui la convaincraient de sa sincérité ?

— A ta place, je crois que je n'aurais rien dit non plus, reprit-il en esquissant un sourire contrit dans l'espoir de dissiper un peu la tension qui régnait entre eux.

Sur une impulsion, il se pencha au-dessus de la table et prit sa main dans la sienne.

— Je suis heureux que tu m'aies dit la vérité, Tess, conclut-il avec ferveur.

Tess baissa les yeux sur cette main qui tenait la sienne, refoulant à grand-peine l'onde de désir engendrée par ce contact. L'heure n'était ni à la passion, ni au plaisir sensuel. D'autres questions plus importantes restaient à débattre.

Certes, Nick semblait prendre les choses plutôt bien. Il comprenait même qu'elle lui ait caché sa grossesse. Mais aussi bizarre que cela puisse paraître, cette réaction globalement positive la plongeait dans une grande confusion.

— Où est le bébé... notre fils ? demanda-t-il d'un ton bourru qui dissimulait mal son émotion. Il dort ici, dans ta suite ?

— Non, répondit Tess, encore réticente à lui donner accès à sa vie alors qu'elle ignorait ses vraies motivations. Je l'ai laissé à la maison, avec sa nourrice.

— Une nourrice ?

— Oui. Elle est spécialisée et aide les jeunes mamans à s'occuper de leurs nouveau-nés, expliqua-t-elle. J'avais besoin de son soutien après la naissance de Zack.

Le visage de Nick s'éclaira.

— Zack. C'est le nom que tu lui as choisi. Est-ce le diminutif de Zachary ?

— Non. Il s'appelle Zack tout court, répondit-elle en le défiant du regard. Je trouvais ça joli.

— Zack Ramirez, murmura-t-il. Ça sonne plutôt bien. Très bien, même.

— Il s'appelle Zack Steele, corrigea Tess, agacée par son arrogance.

Les pupilles de Nick se rétrécirent.

— Je suis son père, Tess.

— Tu devras d'abord me convaincre que tu es à la hauteur de la tâche qui t'attend, riposta-t-elle du tac au tac.

— Très bien, mets-moi à l'épreuve sans plus tarder. Je te raccompagne chez toi. Tu vas me présenter notre fils.

— Tu veux le voir ce soir ?

— Tu y vois un inconvénient ?

Elle ne se sentait pas prête, et c'était un inconvénient de taille à ses yeux. Mais comment expliquer à Nick qu'elle redoutait de le laisser entrer dans sa vie de peur qu'il ne brise le fragile équilibre qu'elle avait construit ? D'un autre côté, puisqu'il semblait déterminé à assumer ses responsabilités paternelles, c'était peut-être l'occasion idéale de le mettre à l'épreuve.

La voix de Nick, teintée d'impatience, mit un terme à ses hésitations.

— Je t'en prie, Tess...

Elle soupira.

— D'accord. Zack sera sans doute en train de dormir mais tu pourras toujours l'admirer...

— J'en brûle d'envie.

Et, sans lui laisser le temps de réagir, il se leva et l'entraîna à sa suite. Comme toujours, son corps réagit violemment au contact de celui de Nick. Parcourue de frissons, Tess s'efforça de se ressaisir. C'était ridicule... Depuis qu'il avait appris l'existence de son fils, Nick avait abandonné l'opération de séduction qu'il avait lancée un peu plus tôt. En cet instant précis, il était évident qu'il ne pensait plus qu'à Zack.

Indifférents aux regards admiratifs qui suivaient leur progression, ils se dirigèrent vers la réception.

Tout allait beaucoup trop vite. Pour une raison qui échappait encore à Tess, Nick avait décidé qu'il était temps pour lui de devenir père et il l'avait choisie comme partenaire potentielle. Comme le destin était ironique ! S'il lui avait fait cette proposition un an plus tôt, elle aurait été folle de joie.

Mais c'était trop tard, maintenant.

Elle l'avait tellement haï... Parce qu'il avait été incapable d'apprécier ce qu'elle lui avait donné, alors qu'elle-même l'aimait de tout son cœur...

Aujourd'hui, elle ne se faisait aucune illusion sur la valeur du mariage qu'il lui proposait. Nick la traiterait sans nul doute avec respect et courtoisie, comme il le faisait dans le cadre professionnel. Elle jouirait du plaisir ambigu que lui procurerait sa présence au quotidien. Il serait un amant passionné, généreux et attentif. Mais l'amour serait absent de leur union.

D'un autre côté, elle avait mûri au cours de ces derniers mois. Peut-être, avec un peu d'entraînement, parviendrait-elle à gérer leur vie conjugale avec le même détachement que Nick ?

Zack profiterait alors de ses deux parents, n'était-ce pas l'idéal pour un enfant ? A condition, bien sûr, que Nick soit capable d'assumer pleinement son rôle de père. Saurait-il aimer son fils sans contrepartie ?

Tout au fond d'elle, Tess en était convaincue...

Nick demanda au réceptionniste qu'on amène sa voiture à l'entrée de l'hôtel. Elle songea brièvement à la suite qu'elle avait réservée pour la nuit. La femme de chambre se chargerait de rassembler ses affaires et de les lui envoyer le lendemain.

Ces détails matériels lui semblaient si dérisoires par rapport à ce qu'ils étaient en train de vivre.

Nick allait faire la connaissance de son fils...

Quel père serait-il ? C'était bien là la seule question qui comptait pour elle car elle conditionnait la suite de leur histoire.

Comme s'il avait perçu la tension qui l'habitait, Nick se pencha vers elle.

— Tout ira bien, je te le promets, lui murmura-t-il à l'oreille.

Tess inspira profondément. Il était trop tard pour faire marche arrière, à présent. Mais il était encore temps d'exprimer les craintes qui lui nouaient l'estomac. Forçant son courage, elle leva les yeux et rencontra ceux de Nick, aussi verts que ceux de son fils.

— Zack te ressemble mais je n'ai pas envie qu'il devienne comme toi, déclara-t-elle abruptement. J'espère que tu es prêt à faire certaines concessions avant de faire irruption dans sa vie.

Du coin de l'œil, elle vit sa mâchoire se contracter. La fossette qui ornait son menton se creusa davantage. Y avait-il un autre Nick derrière le masque de froide assurance qu'il présentait à la face du monde ?

Au même instant, une Lamborghini gris argenté, conduite par un chauffeur en livrée, s'immobilisa devant les portes vitrées de l'hôtel.

Les doigts de Nick se resserrèrent autour de son bras tandis qu'un léger sourire se dessinait sur ses lèvres.

— Allons-y pour une nouvelle vie, déclara-t-il.

6.

Nick eut un mal fou à respecter les limitations de vitesse. Il aurait voulu dévorer en un temps record les kilomètres qui les séparaient de la demeure de Tess, à Randwick.

Hélas, la vitesse ne faisait pas partie de la nouvelle vie qu'il avait choisi de mener. Tess avait raison : il devrait faire de nombreuses concessions s'il voulait tenir son rôle de père. Et surtout, s'il désirait faire le bonheur de son fils.

Zack te ressemble mais je n'ai pas envie qu'il devienne comme toi.

Les paroles cinglantes de Tess faisaient écho à l'opinion qu'il portait sur son propre père. Même s'il lui ressemblait physiquement, en aucun cas il ne souhaitait vivre comme Enrique Ramirez.

Il était grand temps d'amorcer un nouveau tournant, de prouver à Tess — et à lui-même — qu'il pouvait être un bon mari ainsi qu'un père irréprochable. Nick ne voulait pas manquer l'occasion qui se présentait. Il avait déjà raté tant de choses...

— Tu as accouché à Los Angeles ?

A côté de lui, Tess retint son souffle.

— Non. Zack est né ici, à Sydney. Dans une clinique privée de Mona Vale.

Elle marqua une pause avant de reprendre :

— Je ne suis jamais partie à Los Angeles, Nick. Ma mère n'a jamais eu besoin de moi pour un de ses tournages. Tu sais bien qu'il n'y a pas de place pour moi dans la vie de Livvy. Il n'y en avait pas non plus dans la tienne. J'ai inventé ce voyage à Los Angeles pour couper les ponts.

La tristesse de sa voix le bouleversa.

— Tu n'as jamais quitté mes pensées, déclara-t-il avec sincérité. Plus le temps passait, plus tu les occupais.

Elle lui jeta une œillade furtive.

— Je n'en pouvais plus de devoir traiter avec ton assistante, ces six derniers mois, reprit-il. Tu m'as manqué, Tess. Tes conseils, tes opinions… et cette petite étincelle qui s'allume dès que nous nous rencontrons.

— Une étincelle ?

Nick esquissa un sourire.

— Oh, je t'en prie, ne fais pas l'innocente. L'attirance que nous éprouvons l'un pour l'autre est évidente. Elle est visible dans le moindre de nos gestes…

Tess leva les mains en signe de protestation.

— Nous entretenons une simple relation professionnelle.

— Impossible, c'est une question de chimie.

— C'est pourtant toi, il me semble, qui as voulu qu'il en soit ainsi, fit observer Tess.

Un silence tendu suivit ces paroles.

— J'avais peur que notre relation devienne trop sérieuse, reprit-il enfin d'une voix grave. J'avais peur de l'attachement…

Tess laissa échapper un petit rire nerveux.

— Tu ferais mieux de t'habituer à ce genre de sentiment, si tu veux être un bon père.

Nick ne souffla mot. Un nouveau défi l'attendait.

En proie à une nervosité grandissante, Nick suivit Tess jusqu'à la porte de l'imposante demeure de style colonial qui abritait aussi ses bureaux. Dès que la nourrice vint leur ouvrir, Tess fit les présentations.

— Voici Nick Ramirez, le père de Zack. Nick, je te présente Carol Tunny.

A en juger par son regard scrutateur, Carol était au courant de la situation. Tout en répondant aux questions de Tess — Zack s'était endormi sans problème et il n'avait pas encore pris son biberon du soir —, elle les accompagna jusqu'à la chambre du bébé avant de se retirer discrètement. Sans mot dire, Tess fit signe à Nick de la suivre dans la pièce baignée d'une lumière tamisée. Un berceau en rotin blanc trônait dans un angle, sous un assortiment de mobiles colorés accrochés au plafond.

Nick se sentait très tendu, tandis qu'un flot d'incertitude le submergeait. Serait-il à la hauteur de ses nouvelles responsabilités ? Parviendrait-il à céder le contrôle de sa vie à un autre être humain... à un enfant ?

Réprimant un soupir, il se força à avancer. Il était trop tard pour reculer. Quoi qu'il advienne, le bébé qui dormait dans le berceau était son fils. Un lien indéfectible les unissait pour la vie.

A son grand soulagement, son trouble se dissipa comme par magie dès qu'il atteignit le berceau. La gorge nouée, il posa les yeux sur le petit être endormi, les poings serrés de chaque côté de la tête.

— Il est minuscule…, murmura-t-il, émerveillé.

— Pourtant, Zack est grand pour son âge, fit observer Tess.

Grand ? Nick secoua la tête. Emmitouflé dans une gigoteuse à carreaux bleu et blanc, son fils ressemblait à un baigneur. Seul son visage était visible et c'était une jolie frimousse aux traits délicatement dessinés.

Des cheveux bruns et bouclés auréolait son visage, et de longs cils noirs caressaient ses joues veloutées. La ravissante fossette qui creusait son menton arracha à Nick un sourire attendri. Comme mû par une force invisible, il tendit la main et effleura la joue de Zack du bout des doigts. Son fils avait une peau douce comme la soie ! Son sourire s'épanouit lorsque le bébé émit un petit soupir. « Salut, Zack, c'est ton papa… », songea-t-il, bouleversé.

Au même instant, Zack se mit à gigoter dans tous les sens, battant des jambes et secouant les mains. Les minuscules sourcils se rapprochèrent, la bouche rose s'ouvrit en grand et un hurlement strident s'en échappa. A l'évidence, ses poumons fonctionnaient à merveille !

Pris de panique, Nick se tourna vers Tess.

— Je ne lui ai pourtant pas fait mal…

Elle secoua la tête en le rassurant d'un sourire.

— C'est l'heure de son biberon, ne t'inquiète pas. Peux-tu le prendre pendant que je le prépare ?

— Le prendre ? répéta Nick en se penchant vers le bébé qui continuait à se tortiller.

— Tiens-lui bien la tête, Nick, conseilla Tess. Il est encore trop petit pour la tenir tout seul.

66

— Entendu !

Les hurlements cessèrent dès l'instant où Nick prit le bébé dans ses bras. D'un mouvement à la fois preste et délicat, il plaça son fils dans le creux de son bras, contre son torse, prêt à le bercer s'il recommençait à pleurer. Mais Zack n'avait pas besoin d'être réconforté : visiblement intrigué par ce nouveau visage, le bébé, tout à fait réveillé, étudiait Nick de ses grands yeux... des yeux verts... comme les siens !

— Eh oui, je suis ton papa, murmura Nick d'une voix nouée par l'émotion. Je ne te quitterai plus.

— Que dis-tu ? demanda Tess en prenant un biberon dans le minifrigo.

En entendant la voix de sa mère, Zack se remit à pleurer comme pour l'appeler.

— Tu es sans doute plus douée que moi pour le consoler, s'excusa Nick, comme ses efforts pour calmer le bébé demeuraient vains.

Après avoir mis le biberon au four micro-ondes, Tess prit Zack dans ses bras.

— Je vais le changer pendant que le biberon chauffe, expliqua-t-elle en se dirigeant vers la table à langer garnie d'une multitude de produits de toilette.

Nick lui emboîta le pas. Il avait hâte de pouvoir s'occuper de son fils à son tour : changer sa couche, lui donner le bain et le biberon, l'habiller, le bercer, autant de petits riens qui revêtaient désormais une importance capitale pour lui. Il avait tellement de choses à apprendre pour être père !

Dès qu'il fut allongé sur la table à langer, Zack se mit à battre des bras et des jambes avec énergie, en poussant de petits gémissements. Avec des gestes rapides et précis, Tess déboutonna le bas de son pyjama et son body bleu pâle. Elle nettoya son fils, changea sa couche et le rhabilla. Puis elle alla récupérer le biberon dans le four micro-ondes, lui lançant au passage un regard de défi. Nick la suivit des yeux, réprimant un sourire amusé.

Tess semblait très bien se débrouiller sans lui : il était clair qu'il allait devoir lui prouver qu'il était prêt à assumer son nouveau rôle. Trouver le moyen de se rendre indispensable... oui, c'était un vrai *défi* !

Lorsqu'elle s'installa dans un rocking-chair quelques instants plus tard, Zack tétait déjà avidement son biberon. Blessé par l'attitude un tantinet méprisante de Tess, Nick fit observer :

— Je suis étonné que tu n'aies pas choisi d'allaiter. Le lait maternel n'est-il pas ce qu'il y a de meilleur pour les bébés ?

Le visage de la jeune femme s'assombrit.

— Je... je n'ai pas pu l'allaiter. Il y a eu quelques... complications après l'accouchement.

— Quel genre de complications ? s'enquit Nick, saisi d'inquiétude.

Tess hésita un instant. Un soupir s'échappa de ses lèvres.

— On a dû me faire une césarienne d'urgence parce que l'accouchement ne se passait pas comme prévu, expliqua-t-elle avec une petite grimace. Zack est né en parfaite santé mais j'ai contracté une infection à la suite de l'intervention et les antibiotiques m'ont empêchée d'allaiter. Pendant plusieurs jours, j'ai été trop faible pour m'occuper de Zack.

68

C'était donc pour cette raison qu'elle avait fait appel à une nourrice. Une vague de culpabilité submergea Nick.

— J'aurais dû être à tes côtés pour t'aider. Pourquoi as-tu choisi d'endurer ça toute seule ?

— Je n'étais pas seule.

— Je ne doute pas un seul instant que le personnel médical t'ait bien entourée mais...

— Papa était avec moi.

— Non ! protesta Nick, incapable de dominer la vague de ressentiment qu'il éprouvait soudain.

Brian Steele. L'homme qui lui avait tourné le dos sans scrupule parce qu'il n'était pas son fils biologique avait eu l'immense bonheur de voir naître *son* fils !

— C'est mon père, rétorqua Tess avec véhémence. C'est la seule personne qui ne m'a jamais fait faux bond quand j'avais besoin de lui.

— Tu ne m'as même pas appelé, bon sang ! Tu ne m'as rien dit ! Tu ne m'as pas donné la moindre chance !

Perturbé par leurs éclats de voix, Zack lâcha son biberon et se mit à pleurer. Aussitôt, Tess le cala contre son épaule et lui frotta doucement le dos.

— Nous rediscuterons de tout ça quand il dormira, d'accord ? murmura-t-elle d'un ton las.

Au prix d'un violent effort, Nick parvint à maîtriser la colère et la rancœur qui l'animaient. Tess n'avait pas jugé bon de lui faire partager sa grossesse et la naissance de son fils. Et elle continuait à se comporter comme s'il n'existait pas, comme s'il ne comptait pas !

Mais elle allait vite s'apercevoir qu'il était là, maintenant, et que rien ni personne ne pourrait plus l'évincer !

Non seulement il l'épaulerait en tant que père dans l'éducation de leur fils, mais il avait aussi la ferme intention de jouer pleinement son rôle de mari auprès d'elle, et ce dès ce soir...

7.

Tess n'arrivait pas à calmer les battements affolés de son cœur. Elle avait la désagréable impression de se trouver enfermée dans la même cage qu'une bête sauvage, prête à lui bondir dessus dès que l'occasion se présenterait. Tant que Zack était dans ses bras, elle n'avait rien à craindre, mais dès qu'elle le reposerait dans son berceau, Nick passerait à l'attaque, cela ne faisait aucun doute. Il n'attendait que ce moment pour donner libre cours aux violentes émotions qui l'agitaient depuis qu'elle lui avait révélé la vérité.

En proie à une appréhension grandissante, elle garda les yeux rivés sur son bébé. Celui-ci s'assoupit avant même d'avoir terminé son biberon. Elle le plaça contre son épaule et se leva pour l'emmener sur la table à langer. Là, sous le regard perçant de Nick, elle l'enveloppa dans sa gigoteuse en prenant soin de ne pas le réveiller. Puis elle le coucha dans son berceau et le contempla quelques instants, un sourire aux lèvres. Zack dormait paisiblement, bien au chaud dans son monde de candeur et d'insouciance. A cet instant, Tess pria avec ferveur pour qu'il connaisse une enfance heureuse et équilibrée, dénuée de chagrin et de déceptions.

Parcourue de frissons, elle quitta la chambre et fit signe à Nick de la suivre.

— Il y a des appareils un peu partout dans la maison qui nous permettent de rester en contact avec Zack si quelque chose vient troubler son sommeil, expliqua-t-elle en refermant la porte derrière elle.

— J'imagine que tu as veillé à tout, répondit Nick d'un ton sec qui attisa encore sa nervosité.

Il lui en voulait d'avoir voulu l'écarter de la vie de leur fils, c'était évident. Du coin de l'œil, elle le regarda inspecter les lieux. Sans mot dire, il se dirigea vers la porte qui donnait sur la chambre à coucher, l'ouvrit et examina la pièce.

— Nous ferions bien de chercher sans tarder une maison où nous pourrons élever notre fils, Tess. La tienne n'est pas assez fonctionnelle pour nous accueillir tous les trois et mon appartement de Woolloomooloo n'est pas du tout adapté, expliqua-t-il en dardant sur elle son regard plein d'une détermination inébranlable.

Tess sentit ses jambes vaciller. Tant de choses restaient à régler avant de songer à acheter une maison… S'armant de courage, elle se jeta à l'eau.

— Papa ne sait pas que tu es le père de Zack, avoua-t-elle d'une traite. Je ne lui ai rien dit. Il m'a accompagnée à l'hôpital parce que je voulais quelqu'un auprès de moi au cas où… où il y aurait eu des complications.

Avant que Nick ait le temps de réagir, elle poursuivit :

— Si j'ai accepté de te rencontrer ce soir, c'est parce que papa m'a convaincue que Zack serait plus heureux s'il connaissait l'identité de son père. Il m'a rappelé que ta mère t'avait fait beaucoup de mal en te mentant. S'il ne m'avait pas fait la leçon, je crois que je ne t'aurais jamais dit la vérité.

— Mais je t'aurais retrouvée, déclara Nick en se dirigeant vers elle d'un pas souple et alerte, tel un fauve qui fond sur sa proie. J'avais envie de te revoir.

Tess retint son souffle en sentant ses mains chaudes et puissantes enserrer sa taille pour la plaquer contre lui. Comme mues par une volonté propre, ses mains à elle allèrent se poser sur son torse puissant puis glissèrent lentement vers ses épaules. Elle leva les yeux pour mieux déchiffrer son expression.

— Et rien ni personne n'aurait pu m'en empêcher, reprit-il avec fermeté.

D'une main, il l'attira plus près encore tandis que l'autre se posait sur sa joue. Lorsqu'il plongea son regard dans le sien, elle y décela un mélange de regret et de détermination.

— Je suis désolé d'en être arrivé là, Tess, mais la vie est ainsi faite, n'est-ce pas ? Nous sommes de nouveau réunis et je suis heureux de t'avoir près de moi.

Il se tut un instant puis, comme s'il percevait ses craintes, il continua d'une voix rauque ;

— J'aimerais tellement pouvoir effacer ces mois qui nous ont séparés…

Tout en parlant, il inclina la tête vers elle et ses lèvres se rapprochèrent des siennes jusqu'à ce que Tess puisse sentir la caresse de son souffle.

— Je n'ai jamais cessé de te désirer, Tess…

Et il l'embrassa. Il l'embrassa d'une manière qui la fit chavirer. Au fil des secondes, son baiser empreint de tendresse se fit plus exigeant, plus passionné et elle répondit à ses caresses sans retenue, consumée par le feu d'un désir intense, irrésistible.

En cet instant précis, seul comptait le présent. Peu lui importait de quoi demain serait fait.

Chaque fibre de son corps, chaque centimètre carré de sa peau vibraient de plaisir sous les caresses de Nick. Alors pourquoi ne pas profiter de l'instant présent ? Pourquoi ne pas imaginer, pendant une parenthèse magique, qu'il l'aimait et que leur amour durerait toujours ?

A bout de souffle, Nick abandonna ses lèvres pour déposer de petits baisers brûlants le long de sa joue, jusqu'à son oreille. Et les mots qu'il chuchota l'enivrèrent.

— Un seul baiser et me voici perdu, Tess...

Pourtant, il l'avait quittée quelques mois plus tôt. Il était parti au bras d'une autre. Si jamais il recommençait...

Plongeant les doigts dans ses cheveux épais, Tess l'obligea à se pencher vers elle et à rencontrer son regard.

— Si tu décides de m'épouser, Nick, c'est pour rester fidèlement auprès de moi. Au moindre faux pas, tout sera fini entre nous. Ma porte te sera fermée et le restera. Est-ce bien clair ?

Un sourire gentiment moqueur étira les lèvres de Nick tandis qu'une étincelle s'allumait dans son regard.

— Très clair. En contrepartie, j'exige de toi la même intégrité.

A son tour, il enfouit les mains dans sa chevelure et exhala un soupir heureux.

— J'ai hâte de voir cette magnifique cascade de

74

cheveux étalée sur mes oreillers de satin noir. Chaque fois que j'en aurai envie.

Un soudain accès de jalousie tempéra le désir de Tess. Nick avait connu tant de femmes sublimes, toutes dotées de silhouettes sculpturales !

— Quel dommage ! répliqua-t-elle, sur la défensive. Mes taies d'oreillers sont en coton blanc… Pas de chance, si tu avais l'intention de les essayer ce soir.

Nick émit un rire rauque.

— A la vérité, le coton blanc me tente assez, ajouta-t-il en la soulevant dans ses bras.

Quelques instants plus tard, il la déposa dans sa chambre, au pied du grand lit. Un édredon en patchwork, composé de grands carrés de soie ivoire et chocolat, recouvrait les draps. La tête du lit disparaissait presque entièrement sous un amoncellement de coussins dans les mêmes tons, ornés de riches broderies.

— Voici un lit très sensuel, murmura-t-il d'un ton approbateur. Comme toi, Tess.

— Mais les draps sont en coton, rappela-t-elle avec une pointe de dérision. Pas en satin comme les tiens ou ceux de tes maîtresses.

Nick esquissa un sourire amusé.

— C'est une matière qui te ressemble : simple et noble à la fois, pratique et confortable…

Tess leva les yeux au ciel.

— Formidable ! J'ai l'impression d'être une vieille chemise délavée.

— Arrête tes bêtises. Tu as une classe naturelle, c'est ce que je voulais dire. Tu n'as aucun besoin de me rappeler que tu es différente des femmes qui ont traversé ma vie jusqu'à présent. Chacun de mes sens me rappelle à quel point tu es différente des autres.

Il fronça les sourcils et reprit d'une voix plus grave :

— Le problème, c'est que je n'avais pas pris conscience de ce que je voulais vraiment. Aujourd'hui, c'est différent : tu es au centre de ma vie et j'ai bien l'intention de construire le reste autour de toi. Tu n'as rien à craindre, Tess.

Enivrée par ces paroles, elle frémit lorsqu'il effleura le creux de sa nuque d'une caresse aérienne. Ses doigts descendirent le long de son cou puis, lentement, très lentement, glissèrent sous les bretelles de sa robe. Tess retint son souffle, prête à recevoir d'autres caresses plus intimes, plus exquises encore.

Elle ferma les yeux comme le regard brûlant de Nick se posait sur sa poitrine. De ses doigts habiles, il repoussa la mousseline. Puis, avec une lenteur délibérée, ses pouces dessinèrent des petits cercles en direction de ses tétons qui pointaient déjà vers lui.

— Tu as une poitrine magnifique, murmura-t-il en se penchant pour capturer un téton entre ses lèvres.

Une vague de plaisir déferla sur elle comme il le suçait et le titillait délicatement. D'une main, il fit descendre la fermeture Eclair qui retenait sa robe. Le vêtement glissa au sol en bruissant, et Tess se retrouva presque nue devant lui, ne portant plus qu'une minuscule culotte de dentelle mauve.

— Tu es superbe, murmura Nick d'une voix sourde.

Il la débarrassa lentement de sa culotte. Avant qu'elle

ait le temps de réagir, il la souleva de nouveau dans ses bras et la déposa sur le lit.

— Tess… tu es la plus séduisante des femmes, dit-il dans un murmure rauque.

Elle le contempla pendant qu'il se déshabillait. Veste et cravate se retrouvèrent rapidement par terre. Avec des gestes fébriles, il déboutonna sa chemise blanche puis ôta ses boutons de manchettes qu'il enfouit dans la poche de son pantalon. Elle sentit sa gorge se nouer lorsqu'il ôta sa chemise. Il possédait une musculature parfaite : de larges épaules, un ventre plat et sculpté.

Pendant qu'elle l'admirait, Nick se débarrassa du reste de ses vêtements et Tess eut l'impression de se liquéfier. Elle brûlait d'envie de le toucher, de l'embrasser…

Cédant à son désir, elle tendit les mains vers lui, caressa d'abord ses épaules, puis son torse, avant de se risquer vers son ventre, irrésistiblement attirée vers le centre de sa virilité.

Il étouffa un grognement et se hâta d'enlever ses derniers vêtements. Elle frissonna violemment. Le cœur battant à se rompre, irradiée par une onde de chaleur, elle laissa échapper un long gémissement lorsqu'il s'allongea enfin sur elle. Elle s'arc-bouta contre lui et l'emprisonna de ses bras et de ses jambes, exigeant de lui la satisfaction immédiate de ce désir brûlant qui la consumait.

Gémissant à son tour, il la pénétra. Elle sentit que Nick voulait maintenir le rythme langoureux de leur étreinte jusqu'à ce qu'elle perde le contrôle, jusqu'à ce que l'orgasme l'entraîne. Mais elle voulait qu'ils connaissent l'extase ensemble. Elle s'efforça de maîtriser le plaisir qui menaçait de l'engloutir. Elle voulait qu'il lui appartienne. Elle voulait qu'il soit à sa merci...

Cette pensée brisa sa concentration et elle fut envahie par des vagues de sensations exquises. Parcourue de violents frissons, elle se plaqua contre Nick qui ne tarda pas à la rejoindre en laissant échapper un long gémissement.

Ils étaient emportés par un même plaisir, presque magique, qui les laissa épuisés et délicieusement alanguis.

Envahie par une douce sérénité, Tess posa sa tête contre l'épaule de Nick. Leurs respirations s'apaisaient peu à peu.

— Il paraît que le secret d'un mariage réussi repose en grande partie sur l'entente physique, murmura-t-il d'un ton amusé.

D'autres auraient avoué leur amour, songea Tess, brutalement arrachée à sa délicieuse torpeur. A quoi bon se bercer d'illusions alors que la réalité était beaucoup plus triviale ?

Elle promena ses doigts sur son ventre musclé et le sentit frissonner à ce contact.

— Je ne suis pas sujette aux migraines à répétition, si c'est ce que tu veux savoir, répliqua-t-elle.

Brusquement, il la força à rouler sur le dos et il s'allongea sur elle.

— « Je te promets fidélité jusqu'à ce que la mort nous sépare », récita-t-il en dardant sur elle un regard étincelant. Je compte sur toi pour respecter ce vœu en toutes circonstances, Tess.

— Ça vaut aussi pour toi, Nick, lui rappela-t-elle en soutenant son regard.

— Bien sûr. Si tu es prête à te lancer dans l'aventure, je le suis aussi. Le désir que nous éprouvons l'un pour l'autre est un atout formidable pour notre mariage, tu sais. Sache que je serai toujours prêt à assouvir le tien, Tess.

Il avait fait cette promesse avec une ferveur qui la troubla. Puis il inclina la tête et captura ses lèvres. Nick la tenait à sa merci, voilà la vérité. Mais tant qu'il la désirerait, ils seraient heureux ensemble.

Tel était donc le seul, le vrai défi qu'elle devait relever : rester à tout prix désirable à ses yeux. Etre la seule femme dont il ait envie. Pour toujours.

Peut-être s'agissait-il d'une douce chimère... En attendant, elle comptait bien s'accrocher à ce rêve et mettre tout en œuvre pour qu'il se réalise !

8.

Dès le réveil de Zack, le lendemain matin, Nick se comporta comme si Tess avait accepté de l'épouser et que cette question était réglée. En le regardant s'occuper de leur fils, en savourant le plaisir évident qu'il tirait de son nouveau rôle de père, Tess ne pouvait se résoudre à tempérer son enthousiasme.

Nick partit après le petit déjeuner en l'informant qu'il reviendrait une ou deux heures plus tard, dès qu'il aurait le dossier qu'ils devraient remplir en vue du mariage.

Tess l'accompagna jusqu'à la grille et le regarda partir au volant de sa voiture de sport. Un sourire rêveur joua sur ses lèvres. Rentrerait-il au volant d'un break familial ? Les choses s'enchaînaient si rapidement depuis la veille... Ces quelques heures de répit seraient les bienvenues pour faire le point.

En remontant l'allée, son regard balaya la façade blanche de la vieille demeure coloniale qu'elle avait aménagée de manière à pouvoir y vivre et y travailler. Plantée au cœur de Randwick, elle était idéalement située, à la fois proche du centre-ville, des studios de la Fox et de l'Institut national d'art dramatique. L'allée de gravier s'achevait en croissant de lune devant le perron, permettant à ses clients de garer facilement leur voiture lorsqu'ils venaient en rendez-vous. Les pièces du rez-de-chaussée abritaient son agence de casting ainsi qu'un studio de photographie grâce auquel elle pouvait gérer la création des books.

Elle était tout de suite tombée sous le charme de l'architecture raffinée de la maison. Un toit en zinc, de grandes vérandas prolongeant la façade, un parc peuplé de majestueux sapins : l'ensemble possédait une grâce incomparable.

Mais Nick avait raison. S'ils décidaient de former une vraie famille, ils devraient chercher une maison plus fonctionnelle.

Tess soupira. Pour l'instant, tout ceci lui paraissait encore terriblement abstrait.

Quelques heures plus tard, Nick fit irruption dans le bureau de Tess, où celle-ci prenait connaissance des nouveaux contrats proposés par son assistante. Comme il l'avait annoncé, il était muni de tous les documents nécessaires pour le mariage. Il les étala devant elle, puis lui tendit un stylo en lui indiquant les endroits où elle devait apposer sa signature.

— A partir du moment où j'aurai déposé le dossier à la mairie, il nous faudra encore attendre un mois, expliqua-t-il.

Un mois... Serait-ce assez long pour juger de la sincérité de ses intentions à l'égard de Zack ?

— Ce qui nous amène aux fêtes de fin d'année, poursuivit-il. Il ne sera pas facile de trouver une salle de réception à cette période, mais nous aurons peut-être plus de chance si nous nous adressons à une agence spécialisée dans l'organisation des mariages. Il faudrait aussi envoyer les faire-part sans tarder et...

— Stop !

Nick fixa sur elle un regard étonné tandis qu'elle posait son stylo et reculait son fauteuil pour s'éloigner de lui. Elle était bien trop sensible à sa présence magnétique...

— Il ne me semble pas avoir accepté ta proposition de mariage, Nick, déclara-t-elle sèchement. Tu ne m'as pas accordé beaucoup de temps pour y réfléchir.

Il leva un sourcil perplexe.

— Parce que c'est inutile, rétorqua-t-il. Il est de notre devoir de rendre notre fils heureux et il est évident que son bonheur dépend de notre bonne entente. Au vu de nos passés respectifs, je pensais que cela coulerait de source pour toi aussi.

Tess secoua la tête, déstabilisée. Il était temps de poser la question qui la tourmentait depuis leurs retrouvailles.

— Et nous, dans tout ça ?

Nick lui lança un regard perçant.

— N'avons-nous pas posé les fondations de notre mariage, la nuit dernière ? fit-il observer avec un léger sourire. Je croyais que tout était clair entre nous.

Elle baissa les yeux. Dans le feu de la passion, oui, tout était clair. Mais maintenant...

Percevant ses hésitations, il enchaîna :

— A quoi bon faire marche arrière, Tess ? Accepte de signer les papiers et donne-nous une chance. Rappelle-toi ton enfance, quand tu étais tiraillée entre Livvy et ton père. Pour ma part, je ne me souviens que trop bien de cette triste période de ma vie. J'avais la certitude que personne ne voulait de moi, et ce sentiment de rejet est extrêmement douloureux pour un enfant... Si douloureux qu'il peut pousser à devenir agressif. Je ne veux pas que Zack connaisse le même sort. Pour son bonheur, nous devons nous efforcer de former un couple heureux et équilibré.

« Donne-nous une chance... pour le bonheur de Zack... » : ces quelques mots eurent raison des derniers doutes de Tess.

— D'accord ! lança-t-elle en rapprochant son fauteuil du bureau.

D'une main déterminée, elle entreprit de signer les formulaires étalés devant elle. C'était une folie de se lancer dans une telle aventure, mais elle se sentait prête à relever le défi. Pour Zack !

— Autant te prévenir tout de suite, reprit-elle lorsqu'elle eut terminé : je ne veux pas de grand mariage.

Elle leva les yeux vers Nick, dont la réaction ne se fit pas attendre.

— Pourquoi ? C'est une occasion unique, exceptionnelle, Tess. Pourquoi ne pas faire de cette journée un souvenir inoubliable... Organiser un mariage de conte de fées, comme en rêvent toutes les petites filles ?

— Désolée, Nick, mais ce n'est pas un mariage de conte de fées, objecta-t-elle d'un ton empreint de dérision. Si tu veux mon avis, en la circonstance, un grand mariage ressemblerait plutôt à un numéro de cirque.

Comme il fronçait les sourcils, visiblement contrarié, elle poursuivit :

— Imagine un peu le tableau : mon père, sa femme et ses ex-femmes... Ta mère et la mienne en train de rivaliser pour attirer tous les regards... Une mariée qui n'est autre que la fille du milliardaire Brian Steele... Un marié que ce même Brian Steele a pris jadis pour son fils... Ce serait un festival de rumeurs et de commérages, crois-moi !

Un sourire sarcastique éclaira le visage de Nick.

— Ça pourrait être amusant, murmura-t-il avant de recouvrer son sérieux. Que proposes-tu, alors ? De nous enfuir ?

— Oui... Enfin, non... Je pensais à une cérémonie intime.

Nick réfléchit un instant avant de secouer la tête.

— Tu ne pourras pas cacher notre mariage éternellement, Tess, dit-il. Nous n'avons pas à avoir honte. Mais si tu y tiens, nous nous marierons dans la plus stricte intimité.

L'esprit en déroute, Tess garda le silence. Tout allait si vite, trop vite ! S'ils se mariaient en secret avant Noël et partaient en noces de voyage pendant les fêtes de fin d'année, leur nouvelle vie commencerait sous de bons auspices, du moins l'espérait-elle. Ils célébreraient ensemble le premier Noël de Zack, comme une vraie famille.

Elle réprima un soupir. Elle avait tant besoin de s'accrocher à son rêve, d'y croire à tout prix... encore un peu.

Nick observa Tess un long moment sans rien dire, tiraillé par des sentiments contradictoires. Certes, ce mariage ne concernait que Tess, Zack et lui, mais l'idée de faire les choses en secret lui répugnait. A ses yeux, un mariage prenait toute sa valeur lorsqu'il était célébré avec la famille et les proches.

D'un autre côté, il ne pouvait nier que les circonstances étaient un peu particulières. Et à en juger par la détermination qui s'inscrivait sur le beau visage de Tess, elle camperait sur ses positions.

A l'instant où il parvenait à cette conclusion, elle se redressa et lui lança un regard plein de défi.

— Quoi qu'il en soit, affirma-t-elle, il me semble sage de respecter le délai d'un mois prévu par la loi australienne. Il n'est jamais bon d'agir dans la précipitation.

Nick se raidit.

— Je ne changerai pas d'avis, Tess.

— Pour ma part, j'ai besoin d'éprouver ta motivation en ce qui concerne notre fils. Qui me dit que tu ne te reposeras pas sur moi une fois que tu auras compris qu'élever un enfant ne se résume pas à jouer et à cajoler ?

— J'en suis tout à fait conscient, rétorqua-t-il, piqué au vif. Ma priorité sera de donner à mon fils tout ce que j'aurais aimé que mon père me donne s'il avait été près de moi.

— Les bonnes résolutions s'envolent parfois en fumée.

— Ce ne sont pas des résolutions. C'est une parole que j'honorerai, coûte que coûte.

— Ma vie a été émaillée de promesses rompues, fit Tess d'un ton désabusé.

— Est-ce pour cela que tu préfères te marier dans la plus stricte intimité ? Pour ne pas perdre la face si tu décides de rompre ?

Nick se rapprocha d'elle. Il devait à tout prix trouver le moyen d'apaiser ses craintes, de gagner sa confiance.

Il lui prit la main pour qu'elle se lève, et il l'attira à

lui. Elle portait un jean moulant qui épousait chacune de ses courbes et, lorsqu'il la plaqua contre lui, elle ne put retenir un frisson. Elle gardait cependant les bras croisés sur sa poitrine, à la manière d'un bouclier. Inclinant la tête, il enfouit son visage dans les boucles soyeuses, délicatement parfumées. Il aurait tant aimé retrouver la créature sensuelle, à la fois tendre et audacieuse, qui avait partagé sa nuit !

— Trente nuits ne suffiront pas à assouvir toutes les envies que tu éveilles en moi, Tess, chuchota-t-il dans le creux de son oreille.

Elle gémit puis, laissant retomber ses bras, elle se serra contre lui. Submergé de désir, Nick glissa les mains sous son débardeur et caressa ses seins, se délectant de leur douceur.

— Nous devrions prévoir quelque chose de spécial pour notre nuit de noces, susurra Tess en se redressant.

— Dis-moi ce qui te ferait plaisir. Dis-moi comment tu vois cette journée exceptionnelle… et cette nuit tout aussi unique…

— Quelque chose d'intime et de magnifique…, dit-elle d'une voix aux accents mélodieux et ensorcelants.

Nick frémit en réalisant à quel point il avait envie d'elle…

— Si tu as besoin d'intimité, commence par fermer la porte-fenêtre, marmonna-t-il en déboutonnant le jean de la jeune femme. Et ne t'inquiète pas : où que nous soyons, quelle que soit la cérémonie que tu auras choisie, je veillerai à ce que notre mariage soit magnifique…

— J'ai entendu parler d'un hôtel dans le nord du Queensland…

— Parfait, réserve sans tarder. Et ferme la fenêtre…

Un mois plus tard, Nick se tenait face à une porte close. D'une minute à l'autre, sa future épouse ferait son apparition. Il avait respecté le souhait de Tess : la cérémonie se déroulerait dans la plus stricte intimité, et les médias avaient été tenus à l'écart des préparatifs. Cependant, l'endroit qu'elle avait choisi pour célébrer leur union l'avait étonné.

Dès l'instant où il avait vu la chapelle, Nick avait compris que, malgré ses réticences, Tess n'avait pas résisté à la tentation d'un vrai mariage, à la fois romantique et traditionnel.

C'était une ravissante petite chapelle nichée dans le parc luxuriant d'un complexe touristique de Cairns, au bord de la Grande Barrière de corail. Trois immenses baies vitrées offraient des vues spectaculaires : celle du fond donnait directement sur la mer turquoise, ourlée d'une plage de sable blanc, tandis que les baies latérales ouvraient sur des pelouses d'un beau vert émeraude piquetées de palmiers majestueux et de massifs de fleurs aux couleurs éclatantes.

Entre les quatre rangées de bancs, l'allée centrale plongeait le visiteur dans l'émerveillement : ici, pas de vieilles pierres érodées, mais un sol vitré qui surplombait un aquarium souterrain, éclairé de manière à mettre en valeur les formes et les couleurs extraordinaires des coraux, traversés çà et là par de minuscules poissons tropicaux. L'impression de marcher sur la mer était grisante.

Un pasteur d'une cinquantaine d'années, au visage cordial, attendait l'arrivée de la mariée à côté de Nick.

A leur gauche se tenaient deux femmes vêtues d'élégantes robes vert d'eau. L'une était assise devant un piano demi-queue. Sur la droite se dressait une longue table blanche ornée en son centre d'une magnifique composition florale. Deux stylos en or brillaient dans la pénombre, devant un registre ouvert.

Dehors, une cloche tinta, marquant le début de la cérémonie. Nick ferma les yeux une seconde. Il avait attendu ce moment avec une telle impatience ! Le mois qui venait de s'écouler lui avait paru interminable. De son mieux, il s'était efforcé de démontrer à Tess qu'il serait un bon époux et un bon père, et cette mise à l'épreuve permanente avait plus d'une fois mis ses nerfs à vif. A présent, il voulait que la cérémonie se déroule rapidement et que le certificat de mariage leur soit remis, dûment signé et tamponné.

Les premiers accords de l'*Ave Maria* de Schubert résonnèrent dans la nef, et les portes de la chapelle s'ouvrirent enfin, au moment où la chanteuse entamait l'hymne de sa voix mélodieuse, invitant la mariée à les rejoindre.

Saisi d'une vive émotion, Nick retint son souffle. Parée d'un long fourreau en dentelle blanche piqueté de minuscules perles en cristal, Tess était d'une beauté saisissante. Un voile en tulle, retenu par un diadème ouvragé, cascadait sur sa chevelure flamboyante. Nick avala sa salive. Elle ressemblait à une déesse surgie des flots tandis qu'elle avançait vers lui d'un pas aérien.

Une déesse qui lui offrait le plus précieux des cadeaux… Car ce n'était pas un bouquet de fleurs qu'elle tenait dans ses mains, mais un enfant…

Comme frappé par la foudre, Nick comprit à cet

instant à quel point ce mariage était essentiel pour eux. Leurs trois vies étaient sur le point de se mêler et le reste importait peu.

Les battements de son cœur se précipitèrent lorsque Tess le rejoignit et lui tendit Zack pour qu'il le tienne dans ses bras pendant la cérémonie. Ses yeux bleus trahissaient tout l'espoir qu'elle plaçait dans leur union.

— Fais-moi confiance, murmura-t-il en prenant son fils dans ses bras.

Les mots avaient jailli de ses lèvres et arrachèrent à Tess un sourire tremblant tandis qu'un flot de larmes faisait briller ses yeux. Croyait-elle en sa parole ou souhaitait-elle y croire ? Nick l'ignorait.

Pour Zack, les choses étaient beaucoup plus simples : avec un gazouillis heureux, il se blottit dans les bras de ce père qu'il avait appris à connaître au cours du mois passé. En son for intérieur, Nick promit d'être toujours là pour lui, quelles que soient les circonstances.

Il espérait de tout cœur que Tess attachait autant d'importance que lui à cette cérémonie. A ses yeux, ce mariage était bien plus qu'une simple régularisation. Zack et Tess étaient désormais au cœur de ses préoccupations et il avait bien l'intention de les rendre heureux… et de vivre heureux auprès d'eux.

Aussi prêta-t-il une attention toute particulière au sermon que prononça le pasteur.

— Par cette union, vous acceptez de joindre vos vies et ce désir de tout partager va influer sur votre avenir. Un avenir fait d'espoirs et de déceptions, de réussites et d'échecs, de bonheurs et de peines, de joie et de tristesse. Nul ne le connaît. Ce sont pourtant toutes ces choses qui, loin de vous séparer, devront vous souder davantage encore...

Ces paroles pleines de réalisme et de sagesse touchèrent profondément Nick. Une bouffée de détermination farouche l'envahit : il ferait tout pour que son mariage fonctionne. Il était hors de question que son enfant soit une autre victime du divorce !

— Et c'est dans l'ignorance de ce que demain vous réserve, poursuivit le pasteur, que vous acceptez de vous unir pour le meilleur et pour le pire, dans le confort ou la pauvreté, la santé et la maladie et ce, jusqu'à ce que la mort vous sépare. Ces promesses sont belles et graves à la fois, elles reflètent la confiance que vous vous témoignez mutuellement et c'est en hommage à cette confiance que je vous demande de bien vouloir les prononcer à votre tour.

Avec un sourire chaleureux, il les invita à se donner la main et, hochant la tête en direction de Nick, reprit doucement la parole.

— Si vous voulez bien répéter après moi...

Une vague d'allégresse envahit Tess lorsque Nick prononça les traditionnels vœux du mariage d'un ton solennel, sans la moindre hésitation, sans même la pointe d'ironie qu'elle redoutait tant d'entendre dans sa voix.

Elle les avait préférés à d'autres textes plus modernes, car ils étaient l'exact reflet de ses désirs et de ses espoirs les plus secrets. La voix de Nick, empreinte de gravité, emplissait son cœur de joie. Sa main qui tenait la sienne lui transmettait l'émotion et la détermination qui semblaient l'animer.

A tort ou à raison, ce fut avec une spontanéité enthousiaste qu'elle prononça à son tour les vœux sacrés du mariage — ces vœux qu'elle ne romprait jamais tant ils revêtaient une importance capitale à ses yeux. Et si, de son côté, Nick les prenait à la légère... Eh bien, elle préférait ne pas le savoir.

Lorsque, finalement, ils furent déclarés « mari et femme », le baiser qu'ils partagèrent fut pour Tess un véritable baiser d'amour, à la fois tendre et caressant, symbolisant la communion de deux âmes qui se reconnaissent et s'unissent.

Etait-ce un effet de son imagination romantique ? Elle n'aurait su le dire mais, alors qu'ils s'approchaient de la table pour signer le registre, la chanteuse choisit une chanson qui fit écho aux émotions intenses qu'elle éprouvait.

Il était question de sentiments doux et exquis qu'il fallait attiser toute la vie...

9.

— Vas-tu me dire ce qui se passe, Tessa ? demanda son père sans ambages.

Il promenait un regard scrutateur autour de lui comme Tess l'entraînait vers le patio qui offrait une vue imprenable sur le port de Sydney.

— J'ai entendu dire, poursuivit-il, que Nick Ramirez avait acheté cette propriété avant même sa mise en vente officielle. Elle lui a coûté une fortune.

— C'est exact, admit Tess, saisie d'une sourde appréhension.

Etait-ce vraiment une bonne idée d'avoir invité son père à prendre le thé ici pour lui annoncer la grande nouvelle qu'il ignorait encore ?

— Combien t'a-t-il demandé pour te céder son acquisition ? reprit Brian Steele d'un ton suspicieux. Je dois reconnaître que c'est un excellent investissement. La situation est idéale, la demeure somptueuse... Mais j'ai du mal à comprendre pourquoi il te l'a revendue aussi rapidement.

— Ça ne s'est pas passé ainsi, papa, répondit-elle posément. Nick a acheté cette maison pour moi. Et pour Zack. C'est une maison de famille.

Brian fronça les sourcils.

— Si tu avais besoin d'un tiers pour conclure la vente, pourquoi...

— Je t'en prie, papa, arrête, supplia Tess. J'aimerais te montrer quelque chose.

— D'accord, d'accord...

Il leva une main en l'air en signe d'apaisement avant de reprendre son inspection.

— C'est vraiment une maison magnifique, Tessa.

Ils arrivèrent enfin dans le patio et Tess fut une fois de plus émerveillée par la vue spectaculaire sur le port, l'opéra à l'architecture futuriste, l'impressionnante armature métallique du pont. Par cette matinée limpide et ensoleillée, le spectacle n'en était que plus époustouflant.

— Tu vas devoir embaucher du personnel pour entretenir cette propriété, fit-il observer en désignant d'un geste de la main le parc qui descendait par paliers jusqu'au bord de l'eau.

En contrebas, les eaux bleutées de la piscine étincelaient au soleil. A proximité se dressait un joli kiosque de bois blanc. Plus bas encore, un court de tennis voisinait avec une remise à bateaux et un ponton.

— C'est déjà fait, papa, déclara Tess en se dirigeant vers la pergola qui abritait un bar et une cuisine d'extérieur.

D'un geste gracieux, elle désigna le salon en teck qu'elle venait de faire installer.

— Assieds-toi et profite de la vue pendant que je prépare le thé.

— C'est tellement difficile de trouver du personnel fiable, de nos jours, remarqua son père en la suivant jusqu'à la pergola où il se percha sur un tabouret de bar.

Il marqua une pause puis, fronçant les sourcils, regarda autour de lui.

— Au fait, où est mon petit-fils ? J'avais très envie de le voir.

Tess reposa la bouilloire dont elle venait de s'emparer. Après avoir pris une profonde inspiration, elle répondit d'une traite :

— Zack est avec son père.

— Avec son père ! répéta Brian en posant sur elle un regard interdit.

Tess haussa les épaules d'un air faussement désinvolte.

— N'est-ce pas toi qui m'as conseillé de le mettre au courant de l'existence de son fils ? Eh bien, j'ai suivi ton conseil.

— Mais qui est-ce ? Tu m'avais dit qu'il n'accorderait aucune importance à Zack, et voilà que maintenant tu lui confies ton enfant !

— Je m'étais trompée.

— Zack est un bébé, enfin ! Comment as-tu pu laisser mon petit-fils entre les mains de ce... de son...

— Oh, il n'est pas bien loin, rassure-toi. Nous... nous formons une vraie famille, ajouta-t-elle. J'ai... épousé le père de Zack il y a trois semaines.

Brian resta bouche bée.

— Je ne voulais pas d'un mariage mondain, tu comprends, s'empressa-t-elle d'ajouter pour gagner du temps. Nous sommes partis à Cairns et c'est là-bas que...

Les mains de son père s'écrasèrent bruyamment sur le comptoir.

— Tu as épousé l'espèce de salaud qui t'a mise enceinte sans même en aviser nos avocats ! Tu as perdu la tête, Tessa ? Il t'a séduite avant de disparaître, il resurgit tout à coup et tu ne trouves rien de mieux à faire que de tomber une deuxième fois dans le panneau. C'est incroyable ! Ce type en veut à ton argent, c'est pourtant clair !

— Tu fais erreur, papa, rétorqua Tess avec fermeté. Nick n'acceptera pas un seul centime de la famille Steele. C'est lui qui a acheté cette maison et tout ce qui s'y trouve. C'est lui qui rémunère le personnel et qui…

— Nick ! explosa son père tandis qu'un flot de sang envahissait son visage et son cou. Es-tu en train de me dire que tu as épousé Nick Ramirez ? Qu'il est le père de Zack ?

— Oui, répondit-elle en relevant le menton.

Son père secoua la tête, abasourdi.

— Je n'en crois pas mes oreilles ! s'exclama-t-il en lui tournant le dos comme s'il cherchait à masquer sa stupeur. C'est inimaginable…

— Nick est un excellent père, papa, avança Tess. Il s'occupe admirablement bien de Zack.

Brian Steele pivota sur ses talons et leva les bras au ciel dans un geste théâtral.

— En épousant Nick Ramirez, tu t'exposes aux pires humiliations. Ce n'est peut-être pas un gigolo avide d'argent, mais c'est un séducteur impénitent qui collectionne les plus belles femmes du pays. À l'image de son père.

Chargés d'hostilité, ces derniers mots reflétaient toute l'humiliation qu'il avait ressentie, lui, face à Enrique Ramirez, bien des années plus tôt. Refusant d'entrer dans son jeu, Tess préféra penser à ce qu'elle vivait avec Nick et Zack depuis plusieurs semaines.

— Ce qui m'importe, plaida-t-elle avec véhémence, c'est que Zack sache plus tard que j'ai essayé de fonder une vraie famille pour lui. Et si notre mariage ne dure pas, il aura toujours une mère qui l'aime et qui sera là pour lui.

Son regard s'embua tandis que des souvenirs de sa propre enfance affluaient à son esprit. Une enfance marquée par l'indifférence de sa mère.

La bouilloire électrique émit soudain son sifflement strident et Tess l'éteignit machinalement. Alors qu'elle s'efforçait de ravaler ses larmes, son père fit le tour du comptoir et la prit dans ses bras. D'un geste plein de tendresse, il caressa ses cheveux.

— Ça va aller, ma chérie. N'oublie pas que je serai toujours là pour toi, Tessa. Quoi que l'avenir te réserve, tu pourras toujours compter sur moi.

Toute la tension qu'elle avait accumulée en quelques minutes se dissipa, remplacée par un sentiment de soulagement indicible. Oui, elle savait qu'elle pouvait faire confiance à son père. Sans qu'elle cherche à les retenir, les larmes se mirent à couler sur ses joues.

— Je suis désolé que tu aies aussi mal vécu ton enfance, reprit Brian en exhalant un long soupir. Ce n'était pas une situation facile, crois-moi. J'ai pourtant fait de mon mieux pour arrondir les angles... Il semblerait que je n'ai pas vraiment réussi.

Tess esquissa un sourire tremblant. Compte tenu des frasques de Livvy et de la jalousie de sa troisième épouse, elle trouvait qu'il ne s'en était pas trop mal sorti...

— Tu as toujours été là pour moi, papa, et c'est l'essentiel, articula-t-elle d'une voix étranglée.

— Tu aurais dû me permettre de t'offrir un beau mariage, ma chérie, fit Brian. Tu es ma seule fille... J'ai toujours rêvé pour toi d'un mariage grandiose, un mariage dont toute la ville aurait parlé...

Tess retint son souffle. Puis, levant le visage vers son père, elle exposa posément son point de vue.

— Je me moque que les gens parlent ou non de mon mariage. Et puis, avoue-le, tu n'aurais pas accordé ma main à Nick de gaieté de cœur. Sans compter que tes trois épouses auraient passé leur temps à se crêper le chignon.

— Tu as sans doute raison, concéda-t-il en esquissant une grimace.

— J'ai raison, c'est sûr. Nous nous sommes mariés en secret et c'était préférable. Il n'y avait que Nick, Zack et moi.

— Zack..., répéta Brian tandis qu'un sourire contrit jouait sur ses lèvres. On dirait que mon conseil s'est retourné contre moi... à la manière de l'arroseur arrosé.

— C'était pourtant un excellent conseil, papa. Tu peux me croire.

Il la considéra avec attention.

— Vraiment ? Je ne parle pas de Zack, mais de toi. Tu as manqué d'amour toute ta vie et... je ne sais pas si c'est une très bonne idée d'épouser un homme pour le bonheur d'un enfant.

— Ce n'est pas ça du tout ! protesta Tess en secouant la tête. Nick et moi, nous... nous vivons quelque chose de merveilleux ensemble...

« Une relation charnelle explosive et épanouissante »,

compléta-t-elle silencieusement en sentant ses joues s'empourprer.

— Je ne l'aurais pas épousé si je n'avais pas vraiment... désiré qu'il devienne mon mari, conclut-elle pour masquer son trouble.

— « Désiré »..., répéta son père avec une pointe d'ironie dans la voix.

A l'évidence, il avait très bien compris de quoi elle voulait parler. Piquée au vif, Tess ne put s'empêcher de vouloir se justifier.

— Je l'aime, papa. Depuis toujours. Et je compte bien vivre heureuse auprès de lui tant que ça durera. Je t'en prie, essaie de comprendre et d'accepter les choses telles qu'elles sont, d'accord ?

— Oh, je comprends, Tessa, murmura son père. On prend ce qui nous rend heureux, sans songer au lendemain. C'est ce qui fait que la vie vaut la peine d'être vécue, non ?

Tess s'abstint de tout commentaire. Si elle ne partageait pas complètement la philosophie de son père, du moins la comprenait-elle en partie : pour lui, il n'existait pas de bonheur gratuit. Tout se payait un jour ou l'autre.

— Rebranchons la bouilloire, reprit Brian. Une tasse de thé nous fera le plus grand bien, tu ne crois pas ?

Soulagée d'avoir surmonté cette épreuve, et reconnaissante à son père de s'être montré si compréhensif, Tess s'affaira derrière le comptoir, le cœur plus léger. Quelques minutes plus tard, elle apporta le plateau jusqu'à la table où Brian avait pris place.

— As-tu annoncé la nouvelle à ta mère ?

— Pas encore. Elle est en tournée et nous venons juste de rentrer de notre voyage de noces. Nick a l'intention d'organiser une grande réception pour célébrer la nouvelle, une fois que la maison sera prête. J'en parlerai à maman avant d'envoyer les invitations.

— Nul doute que cela va faire sensation.

— Oui, mais ça retombera vite. Il est plus facile de gérer les réactions des gens quand on les met devant le fait accompli, tu ne trouves pas ?

— Ce qui est fait est fait, déclara son père en haussant les épaules. Bien, maintenant que nous avons eu notre discussion en tête à tête, me serait-il possible de voir ton mari et mon petit-fils ?

Tess se raidit. La demi-heure qu'elle avait tenu à s'accorder, seule avec son père, approchait de son terme et l'image de deux taureaux dans l'arène s'imposa à elle tandis qu'elle se tournait vers l'escalier qui menait à la piscine.

Au même instant, la tête brune de Nick apparut. Il gravissait lentement les marches avec Zack, blotti contre lui dans un porte-bébé, ses deux petites jambes pédalant avec vigueur dans le vide. Nick lui parlait en souriant.

— Il aime son fils, fit observer Brian d'un ton bourru.

— C'est le moins qu'on puisse dire.

— Et toi, Tessa, poursuivit son père, implacable, est-ce que tu comptes pour lui ?

Elle hésita, prise au dépourvu.

— Plus que ce que j'espérais, dit-elle d'un ton évasif. Il ne cesse de me surprendre.

La nervosité qui couvait en elle jaillit à l'approche de Nick. Heureux et détendu, son visage s'assombrit lorsqu'il posa son regard perçant sur Brian Steele.

Ce dernier se leva et tendit la main à Nick.

— Ma fille vient de m'apprendre que tu es désormais mon gendre, le père de mon petit-fils.

— C'est exact, répondit Nick en acceptant la main tendue de son beau-père. Crois bien que nous aurions formé une vraie famille plus tôt si Tess m'avait dit qu'elle était enceinte.

Brian Steele hocha la tête.

— C'est toujours difficile quand les choix semblent... forcés, tu ne penses pas ?

— Je n'en veux pas à Tess de m'avoir caché la vérité, répondit Nick sans hésiter. De son point de vue, sa décision paraissait justifiée. Je regrette juste de ne pas avoir été à ses côtés pour vivre avec elle sa grossesse et la naissance de notre fils.

— Je me plais à croire que tu aurais été à la hauteur, déclara Brian d'un ton légèrement hautain. Je ne sais pas si Tessa te l'a dit mais l'accouchement ne s'est pas très bien passé. Ces fichus médecins ont mis un temps fou avant de faire une césarienne... La pauvre était dans tous ses états. Sans compter l'infection qu'elle a contractée à la suite de l'intervention...

— Papa, c'est de l'histoire ancienne, je t'en prie, intervint Tess en voyant Nick se rembrunir.

— Elle m'a raconté, en effet, coupa ce dernier. Je te suis très reconnaissant de l'avoir aidée tout au long de cette épreuve.

— Il n'y a rien de plus normal, Tess est ma fille...

— Et mon épouse, renchérit Nick avec ferveur. Je serai toujours là pour elle et pour mon fils.

Les deux hommes se mesurèrent du regard.

— Tiens ta parole, Nick *Ramirez*, et je te laisserai tranquille.

— Je ne suis pas comme mon père. Ne me compare jamais plus à lui, riposta Nick d'un ton glacial. J'ai choisi de porter son nom car j'en ai le droit, mais j'ai ma propre personnalité. Je me battrai bec et ongles pour protéger ce qui m'appartient. Autant que tu le saches.

Sans laisser à Brian le temps de réagir, il prit Tess par la taille avant de poursuivre avec la même fermeté :

— Nous avons décidé d'avoir une vraie vie de famille. Nous élèverons notre enfant dans cette maison que nous avons choisie tous les deux. Tu peux être ici chez toi, si tu le souhaites…

A ces mots, le cœur de Tess se gonfla d'émotion.

— Je t'en prie, papa… Faisons en sorte que tout aille bien entre nous, d'accord ?

Quelques secondes s'écoulèrent, chargées de tension. Enfin, Brian exhala un long soupir puis, gratifiant Nick d'un regard entendu, il maugréa :

— Notre thé est froid, à présent. Et je n'ai pas encore embrassé mon petit-fils. Vous feriez bien d'y remédier rapidement, tous les deux.

La tension se dissipa aussi vite qu'elle s'était installée, au grand soulagement de Tess. Son père se lança dans une grande conversation sur l'immobilier avec Nick qui, tout en parlant, sortit Zack du porte-bébé et le confia à son grand-père.

Réprimant un sourire, Tess regagna la cuisine d'extérieur pour préparer une nouvelle théière. Dieu merci, les deux hommes qu'elle aimait de tout son cœur étaient assez fins et intelligents pour éviter le conflit.

La voix de son père l'arracha à sa rêverie.

— J'imagine qu'en voyant Zack, tu n'as eu aucun doute sur ta paternité, dit Brian en gratifiant Nick d'un regard lourd de sous-entendus.

— C'est vrai. Cela dit, je n'aurais pas remis en cause la parole de Tess si Zack lui avait davantage ressemblé qu'à moi.

— J'ai cru ta mère, moi aussi, fit observer Brian.

Tess se raidit, de nouveau sur la défensive.

— Il n'y a aucune comparaison possible entre ma mère et Tess, répliqua Nick avec calme. Elles n'ont rien en commun.

Brian émit un grognement approbateur.

— C'est bien que tu le reconnaisses.

— Je sais que la naissance de Zack a été un moment éprouvant pour Tess, continua Nick, mais si elle avait malgré tout envie de retenter l'expérience...

— Tu veux un autre enfant ? s'écria Tess, folle de bonheur.

— Ni ta mère ni la mienne ne nous ont donné de frère ou de sœur, fit-il observer. Et nous avons tous deux souffert de la solitude, étant enfants.

— C'est vrai.

Le regard de Nick, lumineux, plongea dans le sien et elle sentit son cœur s'emballer.

— J'aimerais offrir davantage à Zack.

— Moi aussi.

Les mots franchirent ses lèvres telle une prière fervente et un sourire radieux illumina son visage. Une fois de plus, Nick lui avait réservé une belle surprise.

Un autre enfant... N'était-ce pas la preuve qu'il s'engageait durablement ?

Etait-ce de l'amour ? Peu importait, au fond... Vivre auprès de Nick la rendait heureuse. Et son bonheur grandissait au fil des jours.

10.

Si sa mère l'avait invité à prendre le petit déjeuner chez elle, c'était forcément qu'elle avait quelque chose à lui demander. Depuis trois semaines, elle ne cessait de laisser des messages sur son répondeur... Et à présent que Brian Steele était au courant, Nick se sentait dans l'obligation de lui annoncer la nouvelle, avant que les rumeurs ne le devancent.

Il tenait à ce que Tess ne soit pas là quand il parlerait à sa mère. Connaissant cette dernière, elle ne pourrait s'empêcher de faire des remarques déplaisantes qui nuiraient à l'équilibre encore fragile de leur couple. Car malgré tous les efforts qu'il déployait pour gagner la confiance de Tess, celle-ci restait encore sur ses gardes, il en était conscient.

De son côté, la vie conjugale lui apportait quantité de joies et de satisfactions, aussi étonnant que cela puisse paraître. Jamais encore il n'avait goûté une telle harmonie, une telle sérénité auprès d'une femme. Pour toutes ces raisons, il était bien décidé à protéger sa famille de toute attaque extérieure.

La veille, Tess n'avait pas hésité à tenir tête à son père pour lui faire accepter sa décision d'épouser le père de son enfant. Ce matin, c'était à son tour d'affronter le venin de sa mère.

Chez les Condor, le petit déjeuner était servi dans une grande pièce inondée de soleil, entièrement décorée dans des tons jaune d'or et blanc. La table trônait devant la baie vitrée qui offrait une vue saisissante sur Balmoral Beach et la marina, où était amarré le yacht de Philip Condor.

Après lui avoir ouvert la porte, la gouvernante escorta Nick jusqu'à la salle à manger où l'attendait sa mère, gracieusement installée dans un fauteuil. Un tailleur pantalon de soie crème épousait les courbes de sa silhouette longiligne. Comme à l'accoutumée, elle était maquillée et coiffée avec soin.

— Nick ! s'écria-t-elle de sa voix flûtée en se levant d'un mouvement souple qu'elle avait dû répéter des millions de fois.

Elle planta deux baisers aériens sur les joues de son fils, puis l'entraîna vers la table.

— Où diable étais-tu passé, mon chéri ? demanda-t-elle avec une moue boudeuse.

Peu impressionné par ses mimiques mielleuses, Nick entra sans tarder dans le vif du sujet.

— Je suis ici et c'est l'essentiel, n'est-ce pas ? D'ailleurs, ce serait plutôt à toi de me dire ce qui te tracasse, maman. Tu monopolises mon répondeur depuis trois semaines.

— Assieds-toi, mon chéri, roucoula Nadia, feignant d'ignorer l'impatience qui perçait dans la voix de son fils. Que veux-tu boire ? Du jus d'orange, du café ?

— Je me servirai, merci.

Joignant le geste à la parole, il se servit un verre de

jus d'orange fraîchement pressé et prit un croissant pour faire plaisir à sa mère. A peine s'était-elle installée à son côté qu'elle reprit la parole d'un ton enjoué.

— J'ai appris que tu avais acheté la propriété des Upton à Point Piper.

Ses yeux d'ambre pétillaient de curiosité. Nick hocha la tête.

— Oui, je me suis porté acquéreur dès que j'ai su qu'elle allait être mise en vente. Tout s'est enchaîné très vite après ça.

— J'ai été conviée à des soirées grandioses là-bas ! Cela dit, ni les Upton, ni les Farrell avant eux, n'ont réussi à tirer le meilleur de cette somptueuse demeure. A ce sujet, j'ai quelque chose à te proposer, Nick. Tu sais que c'est ma partie... Voilà, au lieu d'engager un décorateur d'intérieur, tu...

— Non, maman, je t'en prie, coupa Nick. N'y songe même pas, la place est déjà prise.

— Oh, Nick, fais-moi plaisir, insista Nadia en le gratifiant d'un de ses sourires enjôleurs. J'ai absolument besoin d'un nouveau projet. Tu ne seras pas déçu du résultat, je te le promets. Ta nouvelle demeure fera des envieux dans tout Sydney. Je t'en prie... Je peux te rembourser les frais que tu as déjà engagés auprès du décorateur, si tu veux...

— Non. Je ne négocierai pas avec toi, maman. C'est un non ferme et définitif.

— Tu sais aussi bien que moi que tout est négociable, chéri. Il s'agit juste de fixer le juste prix.

Nick secoua la tête. Quelques semaines plus tôt, il aurait sans nul doute partagé cette opinion cynique, mais sa vie avait basculé depuis. L'amour qu'il portait à son

106

fils n'était pas négociable. En fait, tout ce qui touchait à Zack et à Tess ne l'était pas.

— Je sais que tu aimes faire les choses à ta manière, enchaîna déjà sa mère, mais tu ne nieras pas que je possède une expérience précieuse dans le domaine de...

— Je me suis marié depuis notre dernière entrevue, coupa-t-il, brusquement lassé. C'est ma femme qui s'occupera de décorer et d'aménager notre maison.

— Tu t'es marié ? s'exclama sa mère, interloquée.

Comme il se taisait, elle esquissa une moue chagrine.

— Pourquoi ne m'as-tu rien dit ?

— Parce que ce ne sont pas tes affaires, répondit Nick. Je ne crois pas me rappeler que tu m'aies jamais consulté pour l'un de tes nombreux mariages.

Nadia balaya l'air dans un geste plein d'emphase.

— Ne sois pas méchant, je t'en prie. Puis-je savoir qui est l'heureuse élue et d'où t'est venu ce brusque besoin de te fixer ? Ça te ressemble si peu !

— Tu ne me connais peut-être pas aussi bien que tu le penses, maman.

Sa mère leva les yeux au ciel.

— Dis-moi qui tu as épousé. Je me ferai ma propre opinion ensuite.

Il répondit d'une voix calme, empreinte de fierté :

— Ma femme s'appelle Tessa Steele.

— Tessa Steele ? répéta Nadia d'un ton suraigu. Tu veux dire... la fille de Brian Steele ?

Il acquiesça d'un signe de tête. Au même instant, sa mère éclata d'un rire hystérique.

— Ça alors ! s'écria-t-elle en se levant et en levant les bras au ciel en signe de victoire. Tu as volé à Brian sa petite fille chérie ? Oh, merci ! Quelle délicieuse vengeance ! Sans compter tout cet argent qui va entrer chez nous ! C'est une fabuleuse opération !

La mâchoire se Nick se contracta durement. L'argent... était-ce vraiment tout ce qui comptait pour sa mère ?

— Autant te prévenir tout de suite, chère maman, je ne toucherai pas un seul centime de la fortune des Steele.

Sa mère s'immobilisa et haussa les sourcils d'un air dédaigneux.

— Dans ce cas, pourquoi l'as-tu épousée ? Elle ne peut pourtant pas rivaliser avec les mannequins que tu fréquentes d'habitude...

— A mes yeux, si, objecta Nick en se levant, trop furieux pour rester immobile. En outre, Tess a donné naissance à mon fils et...

— Ton fils ! Ainsi, tout s'explique ! railla Nadia. Elle a utilisé le même piège que j'ai tendu à son père autrefois.

— Ne mélange pas tout, maman. Je n'étais pas le fils de Brian alors que Zack, lui, est bien mon enfant.

— En as-tu la preuve ?

— Oui.

— Toujours est-il qu'elle a manœuvré de façon très habile.

Sur le point de perdre son sang-froid, Nick se força à prendre une grande bouffée d'air.

— Contrairement à toi, Tess n'a rien d'une manipulatrice, déclara-t-il. Si tu veux tout savoir, elle ne m'avait pas révélé l'existence de notre fils avant que je la demande en mariage.

108

Pour la deuxième fois en l'espace de quelques minutes, Nadia sembla tomber des nues.

— Pardon ?

— Tu as très bien entendu. C'est moi qui ai fait le premier pas.

— Mais pourquoi ?

— Parce que j'en avais envie. Je désirais exactement ce que me donnent Tess et Zack depuis que nous sommes ensemble.

— Puis-je savoir à quel moment tu as pris cette décision, Nick ? Tu menais encore une vie de séducteur invétéré au moment de la mort d'Enrique, et c'était il y a à peine deux mois. Est-ce la disparition de ton père qui t'a soudain ouvert les yeux sur ton sort de simple mortel ? Tu t'es dit qu'il était peut-être temps de rentrer dans le rang... de te marier et de faire des enfants. C'est ça ?

Nick secoua la tête. Décidément, sa mère et lui n'avaient pas grand-chose en commun... De plus, les événements s'étaient tellement précipités ces dernières semaines qu'il avait presque oublié le paquet du Brésil et l'incroyable marché imaginé par son père peu avant sa mort.

— Continue à vivre ta vie comme bon te semble, maman, et laisse-moi vivre la mienne, déclara-t-il en se levant pour prendre congé.

Hélas, sa mère ne l'entendait pas de cette oreille. Son visage s'éclaira soudain.

— L'héritage ! C'est pour cela que tu t'es marié, n'est-ce pas ? Il était stipulé que tu devais épouser Tessa Steele pour toucher ta part d'héritage, enchaîna-t-elle d'un ton triomphant, tandis que ses yeux mordorés pétillaient de satisfaction. J'imagine bien Enrique en train de rédiger cette clause... Quelle bonne farce !

Nick sentit son estomac se nouer de fureur.

— Tu te trompes, maman. Je ne toucherai pas un centime de la fortune des Ramirez, et le nom de Tess n'apparaît pas une seule fois dans la lettre que mon père m'a écrite avant de mourir.

Nadia leva un sourcil parfaitement épilé.

— Je t'en prie, chéri, je sais tenir un secret. Que te disait Enrique dans cette lettre ?

— Je te l'ai déjà dit. Il me révélait l'existence de deux demi-frères, rien d'autre ! Ecoute, je suis venu te voir pour t'annoncer que j'avais une femme et un fils mais il semble que tu t'en moques. Au fond, ça ne me surprend pas... Tu ne t'es jamais intéressée à moi, je ne vois pas pourquoi tu t'attacherais davantage à ton petit-fils.

— Comment peux-tu dire ça ? protesta Nadia.

— Parce que c'est la vérité, répondit-il avec amertume. Au revoir, maman. Demande à Philip de t'acheter une maison que tu pourras décorer à ta guise. Mais ne t'approche pas de la mienne, c'est une propriété privée !

— Une propriété privée ? l'entendit-il répéter d'une voix stridente, tandis qu'il quittait la pièce sans même se retourner.

Pourquoi diable s'était-il donné la peine de venir jusqu'ici ? songea-t-il en se dirigeant vers la porte d'entrée d'un pas rageur. Aujourd'hui, plus rien ne le reliait à sa mère. Et leurs chemins ne feraient que s'écarter davantage à compter de ce jour.

Il était temps d'échapper à cette relation creuse et

superficielle qui l'entravait. Zack et Tess comblaient large-ment le vide que sa mère n'avait jamais su remplir.

Avec un calme méthodique, Nick s'efforça de mettre de l'ordre dans ses pensées en quittant Balmoral Beach. Pour lui, la page était tournée et une vie meilleure l'attendait, ailleurs.

11.

Tess appuya la tête contre le carreau de la fenêtre
et ferma les yeux, au bord des larmes. Ainsi, Nadia
Condor n'avait pas hésité à venir jusqu'ici pour répandre
son venin... Dire que Nick n'avait appris à sa mère la
nouvelle de leur mariage que quelques heures plus tôt,
ce matin même ! Celle-ci avait dû se précipiter pour
venir la trouver chez elle...

Nadia venait enfin de prendre congé et Tess sentait
que sa confiance et ses espoirs menaçaient de voler en
éclats. Dieu merci, au prix d'un effort surhumain, elle
avait réussi à dissimuler la peine que lui avaient causée
les révélations de Nadia. Mais une douleur lancinante
lui tordait le cœur.

Quelle ironie ! Elle avait cru Nick lorsqu'il avait
prétendu que leur couple ne s'enliserait jamais dans de
sombres histoires matérielles. Tous deux possédaient
assez d'argent, chacun de leur côté : la cupidité était donc
exclue de leur couple. Dans ces conditions, comment
aurait-elle pu imaginer qu'un héritage était à l'origine
de leur mariage ? Jusqu'à la visite de Nadia, elle ignorait tout de la *fabuleuse fortune des Ramirez*. Pas une

seule fois Nick n'avait mentionné le décès de son père, et encore moins le testament de ce dernier.

Un mariage de convenance — voici ce qu'il lui avait proposé. Et voilà ce qu'elle avait accepté pour le bonheur de Zack, pour qu'il puisse profiter de la présence de son père tant que celui-ci serait disposé à jouer ce rôle. Il ne lui restait plus qu'à se satisfaire de cette situation et faire comme si rien n'avait changé.

Au fond, c'était la vérité.

Ils étaient mari et femme et Nick avait acheté cette superbe demeure pour eux. Il vivait avec eux, jouait son rôle de père à la perfection et désirait même un autre enfant.

C'était aussi un mari prévenant et attentionné qui lui accordait beaucoup de temps, comme s'il l'aimait vraiment. Et, bien sûr, c'était un amant expert et passionné qui savait combler le moindre de ses désirs.

Bref, de quoi se plaignait-elle, compte tenu qu'il n'avait jamais été question d'amour entre eux ? Les vœux qu'ils avaient prononcés lors du mariage lui revinrent alors cruellement à la mémoire. Mais c'est elle qui les avait choisis, Nick n'avait fait que les répéter. Pourtant, ce jour-là, la ferveur qui perçait dans la voix de son mari l'avait emplie de joie. Sans doute s'était-il laissé emporter par la magie du moment…

Quelques heures plus tôt, Nadia Condor avait brisé cette magie, sans ménagement. A cette pensée, une nouvelle vague de chagrin la submergea. Hélas, elle ne pouvait s'en prendre qu'à elle, à personne d'autre. Et surtout pas à Nick. Après tout, ce dernier ne lui avait pas menti. Il avait simplement omis de préciser la vraie raison qui l'avait poussé à la demander en mariage. A

113

part ça, les termes de leur « partenariat » avaient été clairs dès le départ.

Elle n'avait rien à lui reprocher, c'était elle qui s'était bercée de douces illusions...

Soudain, un regain d'optimisme gonfla son cœur. Non, elle ne laisserait pas à Nadia Condor le plaisir de détruire l'harmonie qu'ils goûtaient ensemble depuis que Nick avait appris l'existence de leur fils. L'amour qu'il portait à Zack ne pouvait être mis en doute. Et même s'il avait voulu l'épouser pour des questions financières, sa conduite était pour l'instant irréprochable.

Ensemble, ils menaient une vie heureuse et épanouissante. Une vie qu'il eût été stupide de briser par fierté.

Lorsque Nick rentra du bureau ce soir-là, Tess s'efforça de ne rien laisser paraître de sa souffrance. La soirée s'écoula paisiblement, au rythme de leurs menues occupations. Elle devait à tout prix garder son calme, bavarder et plaisanter comme s'il ne s'était rien passé, alors qu'une douleur sourde lui nouait le cœur.

Mais Nick perçut sa nervosité. Quelque chose n'allait pas, il en était certain.

De quoi s'agissait-il ? Nick n'aurait su le dire précisément mais Tess n'était pas comme d'habitude. Ses sourires étaient moins spontanés, son rire cristallin n'avait pas fusé une seule fois tandis qu'ils jouaient avec Zack avant le biberon du soir. Elle ne lui avait raconté aucune anecdote cocasse sur les progrès de leur fils et elle s'était contentée de répondre à ses questions d'un air absent.

De toute évidence, Tess n'était pas inquiète au sujet

de Zack. Ils l'avaient couché ensemble dans son nouveau lit à barreaux et Carol Tunny, la nourrice qui travaillait toujours pour eux, n'avait mentionné aucun incident qui aurait eu lieu dans la journée.

Comme ils descendaient au rez-de-chaussée pour dîner, Nick, de plus en plus intrigué par son attitude distante, passa son bras autour des épaules de Tess. A sa grande surprise, elle se raidit instantanément.

— Tess ? murmura-t-il en fronçant les sourcils.

Un sourire contrit apparut sur les lèvres de son épouse.

— Excuse-moi, la journée a été longue. Les rendez-vous avec les fournisseurs se sont succédé, je n'ai pas eu un instant à moi.

— Si tu te sens fatiguée, pourquoi ne t'adresses-tu pas à un décorateur professionnel ?

— Non. C'est notre maison et j'ai très envie de la décorer moi-même, objecta-t-elle avec véhémence. Je veux qu'elle porte notre empreinte personnelle et pas seulement celle de l'argent.

— Est-ce que quelque chose s'est mal passé avec un fournisseur ? insista Nick.

— Non... non, je t'assure, tout va bien. Je suis juste un peu fatiguée. Et toi, comment s'est passée ta journée ? enchaîna-t-elle en lui jetant un regard de côté. Tu ne m'as pas raconté ton entrevue avec ta mère.

Bon sang ! C'était ça qui la tracassait, bien sûr ! Pourquoi n'avait-il pas songé à la rassurer plus tôt ?

— Tout s'est déroulé exactement comme je l'avais prévu, répondit-il d'un ton railleur. Elle n'arrive pas à croire que je ne t'ai pas épousée pour ton argent. « Mais *pourquoi* donc, chéri ? » fit-il en imitant les intonations de voix affectées de sa mère.

Elle esquissa un sourire.

— Mais oui, pourquoi, on se le demande ?

Nick se détendit, heureux de retrouver l'humour mordant de Tess. Il aimait la complicité qui les unissait et qui leur permettait de se comprendre d'un simple regard.

— Elle n'a manifesté aucune émotion particulière en apprenant qu'elle était grand-mère, ajouta-t-il. Avoir un petit-fils lui a sans doute rappelé le temps qui passe, inexorablement.

Il s'interrompit un instant.

— Je ne pense pas que nous la verrons souvent, à l'avenir, conclut-il.

— Ça ne t'attriste pas ?

— Oh, tu sais bien que nous n'avons jamais été proches l'un de l'autre.

— Tout de même, tu ne peux pas nier qu'elle a occupé une place prépondérante dans ta vie.

— Par la force des choses, c'est vrai. Elle était ma seule famille, après tout. Mais n'oublie pas qu'elle s'est servie de moi avant même ma venue au monde pour piéger ton père.

A cet instant, ses pensées se tournèrent vers ses deux demi-frères dont il ignorait tout. Dans quel contexte eux-mêmes avaient-ils vu le jour ? Nul doute que le courrier posthume d'Enrique Ramirez avait dû les bouleverser, tout comme lui...

— A sa décharge, Nadia a connu la pauvreté et le dénuement, fit observer Tess, faisant allusion à l'enfance de la mère de Nick. Nous n'avons jamais manqué de rien, nous.

116

Elle avait raison. Et grâce aux habiles machinations de sa mère, Nick avait évolué dans le même monde doré que Tess. Mais ses origines sociales suffisaient-elles à expliquer l'obsession qu'elle nourrissait à l'égard de l'argent ?

— Elle veut toujours plus, marmonna-t-il tandis qu'ils pénétraient dans la salle à manger. Ce matin encore, elle voulait que je lui confie la décoration de notre nouvelle demeure, juste pour que ses amis s'extasient devant ses prouesses. Le mot « maison » n'a aucune signification réelle pour elle. Tout ce qui compte, c'est épater la galerie.

— Et pour toi, Nick, que signifie le mot « maison » ? demanda Tess d'un ton posé qui le mit bizarrement mal à l'aise.

Il s'immobilisa et l'obligea à lui faire face en la prenant dans ses bras. Puis, du bout des doigts, il effleura son visage empreint d'une certaine tension. Ses beaux yeux bleus avaient perdu de leur éclat et elle refusait de croiser son regard.

— Une maison, c'est l'endroit où on laisse son cœur. Et mon cœur est ici, avec toi et Zack, murmura-t-il en guettant sa réaction.

— Parfait ! s'écria-t-elle.

Un sourire étincelant joua sur ses lèvres, mais sans que son regard s'allume. Se libérant de son étreinte, elle fit un geste en direction du mobilier contemporain qu'il avait emporté avec lui en quittant son appartement de Woolloomooloo.

— Dans ce cas, tu ne verras aucun inconvénient à ce que nous nous débarrassions de tous ces meubles modernes pour les remplacer par du vert pâle. Je n'aime pas beaucoup le noir, tu comprends. Cela me donne le bourdon et je ne veux...

— Ça me va très bien, coupa Nick, surpris par l'humeur volubile de sa femme. Jette tout ce que tu voudras. De toute manière, ce n'était que du provisoire.

A l'autre bout de la table dressée pour deux étaient empilés des magazines de décoration, plusieurs catalogues ainsi que des échantillons de tissus et Tess se dirigea immédiatement de ce côté-là, comme pour prendre de la distance.

— J'aimerais que tu jettes un coup d'œil à ces échantillons, déclara-t-elle. Mais ouvre d'abord la bouteille de chardonnay, s'il te plaît. La cuisinière nous a préparé un poulet en cocotte. Elle ne devrait pas tarder à venir nous servir.

En entendant ce flot de paroles, l'inquiétude de Nick augmenta encore. Qu'est-ce qui n'allait pas ? se demanda-t-il de nouveau.

Assise devant le miroir de sa coiffeuse, Tess brossa longuement ses cheveux, s'efforçant en vain de recouvrer son calme grâce à ces gestes lents et répétitifs. En sortant de la douche quelques minutes plus tôt, elle avait revêtu une nuisette et un déshabillé de soie et de dentelle bleu nuit qu'elle avait achetés pour leur nuit de noces. Ce soir, hélas, elle ne se sentait guère d'humeur badine.

Comme elle aurait aimé, pourtant, se laisser emporter par le désir que Nick savait si bien attiser avec des mots suaves, des baisers langoureux et des caresses à la fois tendres et audacieuses... Mais quelque chose s'était cassé en elle depuis la visite surprise de Nadia Condor.

Derrière elle, la porte de la salle de bains attenante à la chambre s'ouvrit. Sans se retourner, elle continua à brosser ses cheveux d'un air absorbé. Dans le miroir, elle pouvait contempler le reflet de son mari, sa beauté virile, presque animale. Le regard brûlant de désir qu'il posa sur elle la fit tressaillir.

La gorge sèche, le cœur battant à se rompre, elle suspendit son geste. Elle avait tellement envie de lui... Mais en même temps, l'idée qu'il lui avait menti l'emplissait d'amertume.

Comment prétendre que rien n'avait changé ? Elle ne pouvait plus s'accrocher à cette chimère, elle s'en rendait compte à présent. Car la vérité était trop sordide : Nick l'avait manipulée pour des raisons matérielles. Il l'avait épousée pour percevoir sa part d'héritage.

— Laisse-moi faire, murmura ce dernier en lui prenant la brosse des mains.

Un sourire enjôleur aux lèvres, il fit glisser la brosse avec une lenteur sensuelle.

— Tu as la chevelure la plus troublante que j'aie jamais vue, murmura-t-il en enroulant une mèche soyeuse autour de son index.

Tess ferma les yeux. Devait-elle le croire ? Comment démêler le vrai du faux dans tout ce qu'il lui disait ?

— Et elle est encore plus belle quand elle tombe librement sur tes épaules, souffla-t-il dans le creux de son oreille en faisant glisser les bretelles de sa nuisette.

Incapable de supporter plus longtemps la tension qui l'habitait, Tess se leva d'un bond, renversant le tabouret sur lequel elle était assise. Elle prit appui contre le rebord de la coiffeuse et resserra les pans de son déshabillé avec fébrilité.

— Je t'écoute, Tess, lança Nick d'un ton péremptoire. Qu'est-ce qui se passe ?

— Le 15 novembre, jeta-t-elle. C'est le jour où tu m'as appelée parce que tu désirais me voir. Tu as même prétendu que je t'avais manqué.

Nick fronça les sourcils.

— C'est exact. Et alors ?

— C'est aussi le jour où tu m'as demandée en mariage, n'est-ce pas ?

— C'est le jour où j'ai commencé à y songer sérieusement, en effet, concéda-t-il, sans sembler s'émouvoir de son ton accusateur.

Mais Tess refusait de s'avouer vaincue.

— D'où t'est venue cette soudaine envie de renoncer à ta vie de célibataire, Nick ? demanda-t-elle avec une ironie mordante. Qu'est-ce qui t'a poussé à m'appeler ce jour-là ?

A cet instant, elle lut dans ses yeux qu'il avait compris que ses véritables motivations avaient été percées à jour. Malgré tout, il éluda la question en l'interrogeant à son tour.

— Pourquoi ne m'en as-tu pas parlé, Tess ?

La jeune femme secoua la tête, résolue à le pousser dans ses derniers retranchements.

— Le 15 novembre, poursuivit-elle, ta mère a reçu un somptueux collier d'émeraudes de la part de ton père, Enrique Ramirez. Ce même jour, tu as également reçu un paquet en provenance du Brésil. A l'intérieur se trouvait une lettre qui t'apprenait le décès de ton père et t'indiquait les conditions que tu devais remplir pour...

120

— Pour toucher ma part d'héritage, compléta Nick d'une voix sourde, les yeux étincelants de fureur. Il fallait pour cela que je t'épouse toi, Tessa Steele, la fille de Brian Steele... Est-ce bien ce que ma mère t'a dit, Tess ?

Presque... Mais à présent, la colère de Nick semait le doute dans son esprit. Ne devait-elle pas essayer de faire confiance à cet homme qu'elle désirait garder comme époux, malgré le chagrin qu'il lui infligeait ?

— Dis-moi la vérité, Nick.

12.

La vérité...

Ces deux mots résonnèrent aux oreilles de Nick, balayant d'un coup sa colère. La vérité était là, sous ses yeux : Tess était sa femme, la mère de son fils et ils étaient heureux ensemble.

— La vérité, la voici, murmura-t-il en lui prenant la main.

Il la serra avec force dans la sienne puis l'entraîna vers le grand lit.

— Nick ! protesta Tess sans grande conviction.

Nick la souleva dans ses bras et la serra contre lui. Il la contempla un long moment sans rien dire, cherchant les mots pour apaiser son angoisse.

— Oui, c'est la vérité, répéta-t-il avec ferveur en la déposant sur le lit tendu de satin beige et or.

Puis, plongeant son regard dans celui de son épouse, il reprit sa main et lui demanda d'un ton solennel :

— Ce que nous ressentons l'un pour l'autre, ce sentiment de fusion, cette évidence... L'as-tu déjà ressenti avec un autre, Tess ?

Elle garda le silence, butée.

— Non, tu ne l'as jamais ressenti. Et moi non plus.

C'est une chose que peu de gens ont la chance de connaître.

Nick marqua une pause. Tess se taisait toujours, mais il sentait qu'il avait capté son attention.

— Je ne t'ai pas épousée pour ton argent, reprit-il, tu peux me croire.

— Non, répondit-elle enfin d'un ton coupant. Tu m'as épousée parce que je ne te réclamerai rien de l'immense fortune des Ramirez. Et pour cause : j'ai assez d'argent pour...

— Arrête, je t'en prie ! s'écria-t-il. C'est ridicule, voyons ! J'ai choisi de t'épouser parce que tu étais la seule femme avec laquelle je voulais vivre. Et en plus, tu es la mère de mon fils. L'argent n'a rien à voir dans ma décision.

— Mais alors, que s'est-il passé le 15 novembre ? insista Tess.

— C'est le jour où j'ai compris que je ne voulais pas suivre les traces de mon père, répondit Nick d'une voix teintée d'impatience. Que je ne voulais pas ressembler à cet homme jouisseur et égoïste qui ne s'est jamais soucié des conséquences de ses actes. Depuis ce jour-là, Zack et toi occupez une place spéciale dans mon cœur. L'argent n'a rien à voir là-dedans. Si tu ne le sens pas...

Il se tut et la regarda fixement pendant de longs instants.

— Tu le sens aussi, n'est-ce pas ?

Hypnotisée par son regard brûlant, Tess retint son souffle. Lorsque la bouche de Nick emprisonna la sienne, à la fois exigeante et persuasive, elle ne résista pas. « Laisse-toi aller », lui murmura une petite voix, tandis que ses lèvres répondaient à la caresse de son mari. Leurs langues se mêlèrent et elle se cambra contre lui, abandonnant toute velléité de résistance.

Au fond, quelle importance s'il avait décidé de l'épouser pour se prouver à lui-même qu'il était différent de son père ? Tout ce qui comptait, c'était qu'il reste près d'eux et qu'il continue à les rendre heureux, Zack et elle.

— Dis-moi que tu le sens, Tess ! ordonna-t-il en s'écartant légèrement pour sonder son regard.

— Oui, Nick, murmura-t-elle, touchée par la ferveur qui vibrait dans sa voix.

Oui, leur couple comptait pour lui, elle en avait la preuve chaque jour... Et elle pouvait aussi le sentir dans le baiser enflammé qu'il lui donnait.

Désireuse d'oublier Nadia Condor et ses allusions sordides, Tess noua les mains sur la nuque de son mari et lui rendit son baiser avec tout l'amour qu'elle sentait en elle.

— C'est ça la vérité, Tess, chuchota-t-il contre ses lèvres.

— Oui...

Elle enfouit ses doigts dans les cheveux de jais pendant qu'il couvrait sa poitrine de baisers. Dans ses bras, elle se sentait belle et désirable. Une femme dans toute sa plénitude... Celle qu'il avait *choisi* d'épouser.

Nick poursuivit son exploration sensuelle, titillant son nombril du bout de la langue. Il effleura avec tendresse la cicatrice sur son ventre, comme s'il voulait la remercier du cadeau qu'elle lui avait fait en lui donnant un fils. C'était aussi pour Zack qu'il l'avait épousée. Pas pour de l'argent.

Etourdie de plaisir, elle sentit la langue de Nick explorer le cœur de sa féminité. S'agrippant à ses cheveux, elle rejeta la tête en arrière, sans pouvoir retenir un long gémissement rauque.

Quelques instants plus tard, Nick la pénétra et ils furent bientôt soulevés par une nouvelle vague de volupté, plus intense encore. Accrochés l'un à l'autre, les lèvres scellées dans un baiser enfiévré, ils plongèrent avec émerveillement dans cet océan de plaisir.

Oui, telle était la vérité de ce qu'ils vivaient tous les deux, songea Tess un moment plus tard, blottie contre Nick, un bras jeté en travers de son torse. Elle écoutait leurs cœurs battre à l'unisson et n'osait pas bouger, de peur de briser ce moment de grâce.

Elle se sentait si bien auprès de son mari, son amant... l'homme de sa vie.

Nick ferma les yeux. Il se sentait heureux et détendu dans les bras de Tess. Ses boucles soyeuses étaient répandues sur son épaule. Son souffle chaud caressait sa peau.

Soudain, il pensa à la visite de sa mère et à ses insinuations malveillantes. Un pli barra son front. Il savait qu'il n'avait pas été tout à fait honnête avec Tess. Sa décision de se marier et de fonder une famille avait été motivée par le marché que lui proposait son père dans sa lettre posthume. Seule comptait alors pour lui la perspective de rencontrer ses deux demi-frères.

Entre-temps, sa vie avait basculé. Depuis le jour où il avait retrouvé Tess et appris l'existence de son fils, rien d'autre ne comptait plus que la famille qu'ils formaient tous les trois. Contre toute attente, cette nouvelle vie l'emplissait d'une joie pure, désintéressée et il ne laisserait personne ternir leur bonheur.

Quel marché étrange, d'ailleurs, que celui proposé

par Enrique Ramirez, par-delà la mort... Comme si le play-boy brésilien qu'avait été son père, cet homme qu'il avait tant méprisé, avait compris à la fin de sa vie ce qu'était le vrai bonheur. N'était-ce pas ce qu'il avait écrit dans sa dernière lettre ? « Trouve une femme avec qui tu seras heureux de passer le restant de tes jours, une femme qui te donnera de beaux enfants... »

Oui, ces quelques lignes sonnaient comme le conseil d'un père à son fils.

Serrée contre lui, Tess exhala un soupir. Nick resserra son étreinte puis déposa un baiser sur ses cheveux.

— Tout va bien, Tess ?

— Oui...

— Tu es sûre ?

— Oui. C'était merveilleux, murmura-t-elle en soupirant de nouveau.

Le sourire de Nick se figea. Elle parlait de sexe alors qu'il aspirait à quelque chose de plus profond. Oui, à cet instant précis, il aurait tout donné pour l'entendre parler d'autre chose. Mais de quoi exactement ? Et n'était-ce pas lui qui avait jeté les bases de leur relation ?

Nick fronça légèrement les sourcils. La fatigue embrouillait ses pensées.

Ils étaient ensemble. Voilà tout ce qui comptait.

13.

Postée au centre de la salle à manger, un sourire satisfait aux lèvres, Tess admirait les nouveaux rideaux de lin vert d'eau qu'elle venait de faire installer. Au fil des semaines, la maison devenait de plus en plus chaleureuse. A la fois fonctionnelle, harmonieuse et confortable, elle commençait à refléter la personnalité de ses occupants et la jeune femme éprouvait un sentiment de bien-être chaque fois qu'elle en franchissait le seuil.

Un toussotement l'arracha à sa rêverie. Pivotant sur ses talons, elle découvrit Betty Parker, leur nouvelle gouvernante, qui se dirigeait vers elle, tenant à la main une carte de visite.

— J'ai demandé à ce monsieur de patienter dans le salon, madame Ramirez, déclara-t-elle en lui tendant la carte.

Tess fronça les sourcils. Elle n'attendait aucune visite ce samedi matin. Lorsque son regard se posa sur la carte, son sang se glaça.

Javier Estes... notaire... domicilié à Rio de Janeiro.

Elle fit aussitôt le lien avec la famille Ramirez. Pour quelle raison un notaire se donnerait-il la peine de parcourir des milliers de kilomètres ? Nadia avait-elle dit la vérité au sujet de l'héritage ? Nick lui avait-il menti ?

— Me Estes souhaiterait rencontrer M. Ramirez, reprit Betty. Mais comme il est à la piscine avec le petit...

Nick souhaitait que son fils se familiarise avec l'eau le plus tôt possible, et ils se baignaient tous les jours dans le Spa chauffé.

Il adorait son fils. Etait-ce si important qu'il n'éprouve pas les mêmes sentiments pour elle ? Qu'il l'ait épousée uniquement pour... Pour quoi, au juste ? Le visage de Tess s'assombrit. Elle l'ignorait encore mais elle avait la ferme intention de le découvrir !

— Vous avez eu raison de me prévenir, Betty, déclarat-elle en rendant la carte à la gouvernante. Allez la remettre à M. Ramirez, voulez-vous ? Je tiendrai compagnie à Me Estes en attendant qu'il se prépare.

Betty hocha la tête en souriant.

— Bien, madame Ramirez.

Et elle disparut. Une fois seule, Tess calcula qu'elle disposait d'un bon quart d'heure avant que Nick ne fasse son apparition. Il passerait sans aucun doute par la douche et revêtirait un costume pour accueillir le notaire brésilien.

Le salon faisait partie des quelques pièces que Tess avait terminé de décorer à son goût et le résultat était à la fois gai et élégant. Mais le notaire brésilien y semblait indifférent. Debout devant la baie vitrée, il contemplait le port de Sydney.

— Monsieur Estes...

Celui-ci fit volte-face et Tess retint son souffle, intimidée par l'homme qui se tenait devant elle. C'était un homme d'environ soixante-dix ans, grand, athlétique, qui portait un costume gris anthracite impeccablement coupé. Une épaisse chevelure blanche encadrait son visage mat, creusé de rides. Il était très impressionnant.

Javier Estes la fixa un long moment sans un mot. Sous son regard perçant, Tess s'efforça de garder son calme, alors qu'une boule d'anxiété lui nouait la gorge. Contre toute attente, il esquissa un sourire charmant.

— Tessa Steele...

— Tessa Steele Ramirez, corrigea-t-elle en avançant dans sa direction.

— Bien sûr.

Ils échangèrent une brève poignée de main. Sans la quitter des yeux, Javier Estes hocha la tête.

— C'est une étrange coïncidence que le fils d'Enrique ait choisi d'épouser la fille de Brian Steele compte tenu de... de ses relations tumultueuses avec ce dernier, n'est-ce pas ?

— Nick et moi ne sommes pas responsables de cet état de fait, répliqua-t-elle d'un ton faussement dégagé.

— En effet. Vous possédez tous deux un caractère bien trempé, il me semble, fit le notaire en l'enveloppant d'un regard admiratif. Vous êtes très belle, de surcroît.

Rougissante, Tess esquissa un geste en direction du canapé et des fauteuils en cuir crème.

— Merci. Asseyons-nous, voulez-vous ?

— Je suis venu voir votre mari.

— Il ne va pas tarder à arriver. En attendant...

Elle prit place dans un fauteuil mais Javier Estes resta debout près de la baie vitrée. Sans se départir de sa détermination, Tess reprit la parole.

— Je suppose que vous êtes venu jusqu'ici pour parler avec Nick du testament d'Enrique Ramirez.

— Je suis l'exécuteur testamentaire d'Enrique, en effet, admit-il, une pointe de fierté dans la voix. Avant de mourir, il m'a chargé de vérifier que chacune des missions mentionnées dans son testament était bien effectuée.

— Chacune des *missions* ? répéta Tess, étonnée par le choix de ce terme.

Javier Estes leva un sourcil interrogateur.

— Ignorez-vous les conditions attachées aux clauses testamentaires rédigées par le père de votre époux ?

On touchait enfin au cœur du problème : les raisons qui avaient poussé Nick à se marier aussi vite...

— J'ignore tout de l'héritage, comment pourrais-je connaître ces conditions ? rétorqua-t-elle en relevant le menton. Je n'ai pas épousé mon mari par intérêt, monsieur Estes.

Un sourire joua sur les lèvres du notaire.

— Je n'y ai pas songé un seul instant, chère madame, compte tenu de votre propre fortune. Malgré tout, il est bel et bien question d'héritage ici et...

— Que faites-vous ici ?

Les mots claquèrent comme un fouet tandis que Nick entrait en trombe dans la pièce, simplement vêtu d'un peignoir en éponge noué à la va-vite. Assis dans le creux de son bras, Zack, drapé dans un drap de bain blanc, ne quittait pas son père des yeux. D'un ample geste du bras, ce dernier intima à Javier Estes l'ordre de partir.

— Quittez cette maison immédiatement !

— Nick ! intervint Tess, choquée par son manque de correction.

Les yeux brillant de colère de son mari la réduisirent au silence.

— Ne te mêle pas de ça, Tess, je t'en prie. Cet homme n'a rien à faire ici. Je lui réserve le même accueil que celui que m'a fait Enrique Ramirez lorsque j'avais dix-huit ans.

— Je suis ici pour vous donner ce qui vous revient, argua Javier Estes.

— Je n'accepterai rien de vous. Vous avez eu tort de croire le contraire.

— Vous avez rempli votre mission.

— Je ne l'ai pas fait pour toucher ma part d'héritage.

— Je dois pourtant vous remettre le tiers de...

— Non !

Le vieil homme esquissa un geste en direction de Zack.

— Pensez à votre enfant... le petit-fils d'Enrique...

— Laissez mon fils en dehors de ça.

— Pourquoi lui retireriez-vous sa part d'héritage ?

— Parce que sa mère et moi sommes les seuls à savoir ce qui est bon pour lui, martela Nick en rejoignant Tess.

Il glissa un bras sur ses épaules avant de poursuivre avec la même détermination farouche :

— Nous élèverons notre fils comme bon nous semble, et nous lui transmettrons les valeurs qui comptent pour nous. Zack n'a pas besoin d'Enrique Ramirez.

Serrée contre lui, Tess sentait ses angoisses se dissiper. Nick ne lui avait pas menti. L'argent ne viendrait pas s'interposer entre eux.

Le notaire brésilien ne sembla pas s'émouvoir de la colère de Nick. Au contraire, il contempla quelques instants l'attendrissant tableau qu'ils formaient tous les trois avant de demander d'un ton posé :

— Vous croyez qu'Enrique vous avait oublié ? La visite que vous lui avez rendue à Rio est restée gravée dans son esprit jusqu'à sa mort. Seize ans durant, il a payé quelqu'un pour être tenu au courant de votre parcours.

Les paroles du notaire emplirent Tess de stupeur. Nick avait été filé par un détective pendant toutes ces années ? Etrangement, ce dernier ne parut pas surpris. Il se contenta de soutenir le regard de Javier Estes dans un silence chargé d'électricité.

— Pourquoi croyez-vous qu'il a rédigé la lettre que vous avez reçue ? Pourquoi, à votre avis, a-t-il imaginé cette incroyable mission ? N'était-ce pas pour vous convaincre d'abandonner la vie superficielle que vous meniez jusqu'alors ?

Il marqua une pause avant de poursuivre :

— N'était-ce pas pour vous inciter à découvrir le bonheur que vous vivez aujourd'hui ?

La lettre... le mot résonna presque douloureusement aux oreilles de Tess. S'agissait-il de celle qu'il avait reçue le 15 novembre ? Etait-ce cela, la fameuse « mission » que lui avait confiée Enrique Ramirez : se marier et fonder une famille, s'il voulait toucher sa part d'héritage ? Non, ça ne tenait pas debout : Nick ne voulait pas d'argent, il venait de se montrer très clair à ce sujet !

Comme s'il avait perçu son trouble, Nick la serra plus étroitement.

— C'est à Tess que je dois mon bonheur actuel, déclara-t-il. Pas à mon père.

Le vieil homme hocha la tête en souriant.

— Votre bonheur se lit sur vos visages. Enrique serait ravi.

Nick balaya l'air d'un geste dédaigneux.

— Ce n'est certainement pas pour faire plaisir à mon père que j'ai épousé Tess.

Javier Estes leva un sourcil dubitatif.

— Vous niez que sa lettre vous a poussé à vous marier ? S'agirait-il d'un étonnant concours de circonstances ?

Tess jeta un regard furtif en direction de Nick. Hélas, le visage de ce dernier ne trahissait aucune émotion.

— Appelez ça comme vous voudrez. Mon mariage avec Tess n'a rien à voir avec les conditions établies par Enrique concernant ma part de l'héritage.

— L'héritage…, répéta le notaire en esquissant un geste désinvolte. Enrique s'en est servi uniquement pour vous inciter à vous remettre en question. A cet égard, il semblerait qu'il ait réussi, n'est-ce pas ?

Nick réprima un soupir et Tess devina qu'il détestait l'idée que son père ait pu influencer sa vie d'une manière quelconque.

— Savez-vous que vous avez instillé en lui les joies de l'amour paternel ? reprit le notaire, sans se départir de son calme. Prisonnier de son propre statut social, il s'est trouvé dans l'impossibilité de vous reconnaître officiellement. Sa femme légitime ne lui a donné que deux filles et il a énormément souffert de devoir vous repousser.

— Quelle tristesse ! ironisa Nick. Excusez-moi, mais j'ai du mal à plaindre ce père qui s'est volontairement privé d'un fils légitime.

— C'est votre entrevue à Rio qui a réveillé en lui la fibre paternelle, poursuivit Javier Estes, feignant d'ignorer l'intervention de Nick. Vous lui avez donné l'envie de mieux vous connaître. Les années ont passé. Sa femme est morte d'une leucémie et ses deux filles, très malades elles aussi, sont également décédées. Vous avez occupé une place de plus en plus importante dans la vie d'Enrique.

— Je me moque bien d'avoir été *espionné* pendant toutes ces années, lança Nick d'un ton cinglant. Cette surveillance n'a plus de raison d'être, désormais. Vous pouvez congédier vos détectives, Estes, parce que...

— Il faisait également surveiller vos deux demi-frères. Après votre visite, il a fait des recherches pour les retrouver.

Des demi-frères ? Tess était en pleine confusion. En même temps, certaines pièces du puzzle commençaient à s'emboîter.

— Il les a rencontrés ? demanda Nick en se raidissant. Il les a reconnus officiellement ?

Javier Estes secoua la tête.

— Non. Enrique a jugé plus sage de ne pas se manifester. C'était dans leur intérêt.

Nick laissa échapper un rire amer.

— Vous ne me ferez pas croire ça, désolé ! La vérité, c'est qu'il n'avait aucune envie qu'on le dérange. C'était bien plus facile de prendre contact à titre posthume, conclut-il d'une voix chargée de mépris.

— Vous avez peut-être raison. Toutefois, il a voulu vous offrir une possibilité de vous rencontrer... Si c'est ce que vous souhaitez, évidemment.

— Nous offrir ? Par définition, un cadeau se donne sans contrepartie.

— Chaque mission a été choisie pour le bonheur de ses trois fils.

— Chaque mission ? s'écria Nick d'une voix empreinte de stupeur et de colère mêlées. Chaque mission !

Comme pour imiter son père, Zack poussa un long cri de détresse. Instinctivement, Tess le prit dans ses bras et le berça pour tenter de l'apaiser. Les yeux assombris par la fureur, Nick se tourna vers elle.

— Emmène Zack faire un tour, souffla-t-il, c'est préférable.

— Non, répondit la jeune femme en caressant les cheveux de son fils jusqu'à ce qu'il se calme enfin. Je tiens à rester près de toi.

Réprimant un soupir, Nick se tourna vers le notaire.

— Dois-je comprendre que je n'aurai le droit de rencontrer mes demi-frères que s'ils accomplissent à leur tour la mission que leur a confiée notre père avant de mourir ?

— C'est exact, oui. Vous devez tous les trois gagner ce droit de...

— Ce droit ! Ne voyez-vous pas à quel point cette machination est indécente ?

Un pli barra le front de Javier Estes.

— Je vous assure que les intentions de votre père étaient louables, monsieur Ramirez. Il désirait avant tout respecter la vie de chacun d'entre vous...

— Ce sont mes frères, bon sang ! tonna Nick. Enrique n'avait pas le droit de nous tenir à sa merci de cette manière. Que nous ayons ou non envie de nous rencontrer, la décision nous appartient. C'est un abus de pouvoir que je ne cautionnerai pas.

Il fit un pas en avant et leva la main d'un geste péremptoire comme le notaire ouvrait la bouche pour répliquer.

— Ça suffit ! Vous pouvez lever la surveillance et retourner au Brésil. Nous n'avons plus rien à nous dire. C'est une affaire classée.

Tournant les talons, il s'approcha de Tess et lui reprit Zack.

— Je retourne à la piscine. Raccompagne ce monsieur ou demande à Betty de s'en charger. Cette mascarade n'a que trop duré.

Interloquée, Tess se contenta d'acquiescer d'un signe de tête. Elle regarda son mari quitter la pièce d'un pas décidé, tenant leur fils contre lui. Un silence pesant suivit leur départ.

— Voici une bien triste histoire, murmura le notaire.

— Il aurait sans doute apprécié un vrai cadeau de la part de son père, monsieur Estes, fit observer Tess en songeant à ces frères qui ignoraient tout l'un de l'autre.

Le notaire exhala un soupir las.

— C'est d'autant plus idiot qu'il avait rempli sa mission...

— Et de quoi s'agissait-il ? demanda Tess sans ambages, bien décidée à connaître enfin la vérité.

— Il devait trouver une femme qu'il aime, l'épouser et fonder une famille... Cesser d'avoir des relations dénuées de sens.

Le notaire tourna les paumes vers le ciel.

— N'était-ce pas un bon conseil ? Le genre de conseil qu'un père aimant donne à son fils ?

136

« Une femme qu'il aime »… « S'il savait que Nick s'était marié uniquement par amour pour son fils… », songea Tess, en proie à une soudaine mélancolie.

— Je suis venu jusqu'ici parce que Nick est le seul à ne pas avoir pris contact avec moi, reprit Javier Estes. Les deux autres se sont manifestés rapidement.

— Ses demi-frères ?

— Oui. Et la date de leurs retrouvailles est déjà fixée.

— Ils ont accompli leurs missions ?

Me Estes fronça les sourcils.

— Je n'ai pas le droit de vous répondre. La réunion doit se tenir le 14 février à 16 heures. Dans mon bureau.

— A Rio de Janeiro ?

— Oui. Nous aborderons notamment la question de l'héritage.

— Nick ne changera pas d'avis à ce sujet, monsieur Estes. Lui et moi avons beaucoup souffert lorsque nous étions enfants, vous savez. Le sentiment de rejet est un sentiment destructeur et nous nous efforçons de construire ensemble une vie de famille différente de celle que nous avons connue.

Un sourire flotta sur les lèvres du notaire tandis qu'un mélange de respect et d'admiration emplissait son regard.

— Vous êtes en phase avec votre époux.

— Je l'aime, avoua-t-elle avec simplicité.

Il hocha la tête.

— Je regrette sincèrement de ne pas pouvoir rompre les clauses du contrat. Il m'est impossible de lui *livrer* ses frères. Si vous l'aimez, Tessa Steele Ramirez, essayez de lui faire entendre raison. Vous connaissez la date et le lieu du rendez-vous.

Tess soupira. « Vous me prêtez beaucoup de pouvoir, monsieur Estes, mais je n'ai pas dit que Nick m'aimait. » Voilà ce qu'elle aurait pu lui répondre...

Après avoir raccompagné le notaire jusqu'à la porte d'entrée, elle flâna un moment dans la somptueuse demeure, songeant à tout ce qui s'était passé au cours des dernières semaines.

Ainsi, Nadia Condor s'était trompée : leur mariage n'avait rien à voir avec une sordide histoire d'héritage. Toutefois, Nick s'était-il lancé dans l'aventure conjugale dans le simple but de rencontrer ses frères ?

Et avait-il changé d'optique en cours de route ?

Si oui, quand cela s'était-il produit et pourquoi ?

Un soupir s'échappa de ses lèvres. En refusant de parler avec Me Estes, Nick semblait avoir fait un choix : préserver la famille qu'ils formaient tous les trois plutôt que rencontrer ses deux demi-frères. Pourtant, elle ne ressentait pas le sentiment de victoire qu'elle aurait dû éprouver. Nick renoncerait à une part essentielle de sa vie en ne faisant pas la connaissance de ses frères. Et il en souffrirait, inévitablement.

Par amour pour lui, elle ne le laisserait pas passer à côté de cette chance extraordinaire.

14.

Nick était trop furieux et déstabilisé pour rester auprès de Tess. Il n'était pas non plus en état de s'occuper de son fils. Aussi l'avait-il confié à la nourrice tout de suite après sa sortie fracassante. Il avait besoin d'être seul pour faire le point et surmonter l'amertume qui le tenaillait.

Il se dirigea vers la remise à bateaux, ôta son peignoir, et descendit jusqu'à son yacht qui, posé sur des cales, attendait d'être nettoyé. C'était exactement le genre d'effort physique qu'il lui fallait pour oublier l'entrevue pénible qui venait de se dérouler.

Il travaillait depuis une bonne heure lorsque Tess le rejoignit. Suspendant son geste, il la fixa sans un mot. La visite du notaire avait dû la secouer elle aussi — et à juste titre.

Elle semblait pourtant assez calme. Elle portait un tailleur sobre et son visage était à peine maquillé. Sa flamboyante chevelure était retenue en une simple queue-de-cheval d'où s'échappaient quelques boucles rebelles.

— Quelle énergie ! fit-elle observer en promenant son regard sur le torse et les bras de Nick. Veux-tu boire quelque chose de frais ? enchaîna-t-elle en se tournant vers le minifrigo qui occupait un angle de la remise.

— Avec plaisir, merci, répondit Nick en se redressant.

Il se dirigea vers le lavabo.

— Je suppose que Me Estes a quitté les lieux.

— Il est parti, répondit-elle d'un ton neutre.

— Et tu aimerais qu'on en discute.

— Oui.

Il tourna le robinet d'eau froide en même temps qu'elle ouvrait le frigo. Cette fois, au moins, elle exprimait ses émotions. Il s'aspergea le visage d'eau froide, se savonna les bras et le torse puis se sécha vigoureusement. Tess posa sur le rebord de l'évier une bouteille d'eau minérale aromatisée. D'un geste vif, il captura son poignet.

— Je n'ai jamais voulu de cet héritage, Tess, déclarat-il en cherchant son regard.

Elle baissa les yeux.

— Mais tu avais tout de même quelque chose en tête, objecta-t-elle posément. En me demandant en mariage, c'est à tes frères que tu songeais.

— Vraiment ?

Il se tut quelques secondes avant de poursuivre :

— Peut-être me suis-je servi de ce prétexte pour obtenir ce que je désirais vraiment.

Elle fronça les sourcils avant de le gratifier d'un regard intense et bouleversant. Un regard qui réclamait la vérité. Quelle qu'elle fût.

Il lui devait bien ça. C'était même la condition *sine qua non* pour que leur couple s'épanouisse.

Tout à coup, Nick se sentit envahi d'une profonde gravité. Il enlaça Tess, s'efforçant de trouver les mots justes. Appuyant doucement son front contre le sien, il prit la parole d'un ton mal assuré.

— Tess, tu as une famille. Elle est peut-être un peu bancale, mais tu en connais chacun des membres. Tu connais leur personnalité, leur passé, tu es à l'aise parmi eux, aussi bien du côté maternel que du côté paternel.

Il la sentit se raidir entre ses bras.

— Je ne dis pas que tu ne t'es jamais sentie seule, s'empressa-t-il d'ajouter. C'est quelque chose de terrible, ce sentiment de solitude. Je le connais bien aussi.

Un soupir s'échappa des lèvres de Tess. Elle semblait se détendre un peu mais elle restait muette, à l'écoute.

— Quant à ce fameux paquet en provenance du Brésil... A vrai dire, je suis tombé des nues en apprenant l'existence de mes demi-frères. L'un vit aux Etats-Unis, l'autre en Grande-Bretagne... Tout à coup, comme par magie, j'avais une famille, tu comprends. Je n'étais plus seul. J'avais deux frères.

— Je sais combien c'est important pour toi, murmura Tess.

Nick émit un rire sans joie.

— Ma première réaction a été radicale : mon père n'avait pas jugé utile de nous réunir de son vivant : soit ! Mais je refusais qu'il continue à me gâcher la vie depuis sa tombe ! Je voulais rencontrer mes frères, coûte que coûte !

— C'était une sage décision, approuva Tess en inclinant la tête pour plonger son regard dans le sien. C'est justement ce que je suis venue te dire.

— Non. Je refuse qu'Enrique Ramirez continue à me manipuler par-delà la mort. Je ne veux pas que son ombre plane sur notre bonheur.

— Mais...

Il posa l'index sur ses lèvres.

— Non, écoute-moi.

Avec une douceur infinie, il prit son visage dans ses mains et caressa sa joue.

— Tu penses que je t'ai épousée à cause de cette lettre du Brésil. Oui, je l'avoue, cela a été comme un déclic pour moi. En découvrant le défi que me lançait mon père, j'ai tout de suite pensé à toi. En caressant l'espoir de rencontrer mes frères, c'était toi que je voulais retrouver. J'ai tout de suite su *qui* j'avais envie d'épouser.

— Tu m'as pourtant donné tout un tas d'autres raisons.

— Parce que je refusais encore d'admettre la vérité. Ma conception cynique de l'amour et du mariage a changé, grâce aux sentiments profonds et intenses que tu as éveillés en moi. Et puis, j'ai été si heureux quand tu m'as annoncé l'existence de Zack !

Elle le dévisageait en silence. Elle paraissait hésiter encore à le croire.

— Ma vie a basculé le soir où je vous ai vus tous les deux, Tess, reprit-il avec ferveur. Jamais encore je n'avais connu pareil bonheur. Je ne suis pas comme mon père, Tess. Je ne partirai pas. Jamais je n'abandonnerai ce que nous avons construit ensemble.

En cet instant, Tess perçut toute la souffrance que Nick avait endurée. Elle comprenait que le seul lien familial qu'il avait, celui qui l'unissait à sa mère, n'avait fait que nourrir son cynisme et sa méfiance. Cela expliquait en partie la vie qu'il avait menée avant leur mariage.

Pour relever le défi lancé par son père, il avait dû

142

se résoudre à faire confiance à une femme, une femme qui ne le trahirait pas. Et il l'avait choisie, elle. Sans l'ombre d'une hésitation. Choix intuitif ou réfléchi, c'était en tout cas le plus beau compliment qu'il pouvait sans doute jamais faire à une femme.

En proie à une vive émotion, Tess se blottit contre lui.

— Merci, dit-elle dans un souffle. Merci de m'avoir dit la vérité. C'était important pour moi. Je suis désolée de m'être laissé déstabiliser par ta mère. Elle a réveillé en moi toutes les angoisses qui m'étouffaient avant que je te rencontre. J'ai bien essayé de les refouler... mais en vain. J'avais besoin que tu me rassures.

— Ai-je réussi ? demanda-t-il d'un ton pressant.

Elle leva les yeux vers lui.

— Oui. Tu as réussi.

Le regard de Nick s'éclaira enfin.

— Tant mieux ! Parce que tu es la femme de ma vie, Tess. Tu es la femme qui me rend heureux.

Une bouffée d'allégresse l'envahit. Ainsi, Nick croyait aux vœux qu'il avait prononcés dans la petite chapelle de leur mariage.

Il ne l'abandonnerait pas. Jamais. Elle le croyait désormais.

Un soupir de soulagement s'échappa de ses lèvres. Puis elle posa sur lui un regard empreint de gravité.

— Crois-tu que ce soit une bonne chose de repousser tes frères, alors qu'ils ont de leur côté accompli les missions que leur avait assignées ton père ? Pense à eux, Nick. Ils doivent attendre votre réunion avec impatience...

Nick esquissa une grimace.

— Ils ne sont peut-être pas comme moi, Tess. Peut-être ne songent-ils qu'à l'héritage, eux... Peut-être n'avons-nous rien en commun.

— Vous avez au moins une chose en commun : un père qui ne s'est pas occupé de vous et qui aimerait se racheter *post mortem* en vous donnant la possibilité de vous rencontrer.

— Il ne mérite pas tant de clémence, répliqua-t-il d'un ton dur.

Tess secoua la tête.

— Ne dis pas ça, Nick. Ecoute ton cœur, au contraire. Le choix est simple. Soit tu décides de tendre la main à tes frères, soit tu leur tournes le dos. Si tu laisses passer cette chance de les rencontrer...

Elle se tut un instant et plaqua ses mains de chaque côté du visage de Nick, comme pour mieux capter son attention.

— ... tu agiras comme ton père, acheva-t-elle d'une voix pleine d'émotion.

— Non ! protesta-t-il avec véhémence, comme si la simple idée qu'il puisse un jour ressembler à son père lui était insupportable.

— Et pourtant si ! C'est ce qu'il t'a fait, te tourner le dos, n'est-ce pas ? Et à tes frères aussi. Tes frères de sang, Nick, les deux autres fils illégitimes d'Enrique Ramirez. Ils seront dans le bureau de Javier Estes, à Rio, le 14 février à 16 heures.

Les yeux de Nick s'arrondirent de surprise.

— Comment le sais-tu ?

— J'ai demandé à Me Estes.

— Pourquoi ? fit-il. Pourquoi est-ce si important pour toi que je les rencontre ?

144

— Parce que tu en as envie.

Tess prit une inspiration et décida de se laisser porter par les émotions intenses qu'elle ressentait.

— Et parce que je t'aime, dit-elle en esquissant un sourire timide. Il est donc tout à fait normal que je désire ton bonheur, Nick.

— Tu m'aimes ? répéta-t-il lentement, comme s'il s'agissait d'une formule magique.

Son regard, d'abord incrédule, s'emplissait peu à peu d'une joie intense. Puis un sourire radieux illumina son visage.

— Je t'aime aussi, Tess, confessa-t-il. Je t'aime plus que tout au monde.

Elle en eut le souffle coupé. Elle dut attendre quelques instants avant de demander à mi-voix :

— Tu m'aimes ? C'est vrai ?

— Hum... C'est mieux quand c'est réciproque, qu'en penses-tu ? fit-il d'un ton espiègle.

Tess secoua la tête, trop abasourdie pour plaisanter.

— Tu m'aimes vraiment ?

— Oui, à la folie ! C'était bien ce que je redoutais quand je suis parti, la première fois. Mais depuis que je t'ai retrouvée, je ne veux qu'une chose : gagner ta confiance, te convaincre que tu es au cœur de ma vie, que je suis prêt à tout pour...

— A tout, vraiment ? coupa-t-elle d'un ton malicieux, ivre de bonheur.

Nick prit un air faussement sérieux.

— A presque tout.

Nouant les mains sur sa nuque, elle se hissa sur la pointe des pieds et chuchota contre ses lèvres :

— Tu iras donc à Rio le 14 février ?

— Seulement si tu viens avec moi, répondit-il sans hésiter.

— Tu peux compter sur moi.

Ils se contemplèrent un long moment. Puis Nick hocha la tête d'un air solennel.

— Contrairement à ce que j'ai pensé pendant des années, le sexe n'est pas le ciment du mariage, dit-il. C'est l'amour.

— Je t'aime, Nick, répéta Tess, se délectant de chaque syllabe.

— Voyons un peu à quel point...

Il prit ses lèvres et Tess répondit avec fougue à son baiser passionné. A cet instant, elle n'avait plus qu'un désir : lui montrer toute l'étendue de son amour...

15.

Nick, désireux de célébrer officiellement leur mariage, avait tenu à organiser une grande soirée avant leur départ pour Rio de Janeiro. Leur bonheur, disait-il, ferait taire toutes les mauvaises langues et rejaillirait sur les convives. Car, selon lui, le véritable bonheur était contagieux...

Et il ne s'était pas trompé, à en juger par le joyeux brouhaha qui régnait dans le salon et sur la terrasse. Cette pensée arracha un sourire à Tess.

Nick et elle bavardaient avec un petit groupe d'invités lorsque Nadia Condor arriva. Tess ne se départit pas de son sourire en voyant celle-ci s'approcher d'eux. Le magnifique collier d'émeraudes qu'elle avait reçu d'Enrique Ramirez brillait de mille feux sur son fourreau de soie noire.

— J'ai appris que vous aviez décidé de vous rendre à Rio pour réclamer votre dû, lança-t-elle dès qu'ils furent seuls.

Ses beaux yeux d'ambre pétillaient d'enthousiasme.

— Je savais bien que vous reviendriez à la raison.

— Nous y allons pour rencontrer mes frères, rectifia Nick sans s'offusquer. Nous en profiterons pour visiter un peu la région et je ferai don de ma part d'héritage à un orphelinat brésilien.

La stupeur se lut sur le beau visage de Nadia.

— Un orphelinat ?

— Oui. Tess et moi trouvons l'initiative très à propos, n'est-ce pas, chérie ?

— Tant d'enfants se retrouvent sans personne, approuva Tess. Vous-même avez dû vous sentir bien seule, à seize ans, Nadia.

Un voile d'émotion traversa fugitivement le regard de la mère de Nick, qui se ressaisit toutefois bien vite.

— C'est vrai, mais j'ai parcouru un sacré bout de chemin, depuis, répliqua-t-elle en relevant le menton.

Tess hocha la tête. L'espace d'un instant, elle avait réussi à percer l'armure de sa belle-mère. Malgré leurs différends, elle éprouva soudain un élan de compassion à son égard.

— A propos, pourrai-je vous demander quelques conseils en matière de décoration lorsque nous reviendrons du Brésil ?

Cette fois, le visage de Nadia s'illumina.

— Avec plaisir, ma chère ! N'hésitez pas à m'appeler, nous prendrons le thé ensemble pour discuter de tout ça.

— Je n'y manquerai pas, promit Tess.

Sur ce, Nadia s'éloigna avec l'assurance d'une reine qui part inspecter son domaine.

— Méfie-toi, elle va tout révolutionner, l'avertit Nick à voix basse.

— Quelques concessions ne nous feront pas de mal, répliqua Tess. Elle a besoin de nous savoir près d'elle, Nick. Nous sommes sa seule famille, ne l'oublie pas.

Il acquiesça d'un signe de tête. Puis, se penchant vers elle, il murmura à son oreille :

— Si tu continues à me regarder comme ça, je vais être obligé de t'enlever sur-le-champ pour...

— Impossible ! Voilà ma mère.

Il étouffa un grognement de dépit, avant de se préparer à accueillir l'éblouissante Livvy Curtin. Elle portait une robe de soirée de soie pourpre et s'avançait vers eux d'une démarche chaloupée. Sa chevelure blond platine était relevée en chignon et des bijoux en or massif ornaient son cou, ses oreilles et ses poignets graciles. Ce soir-là, elle était escortée d'un jeune bellâtre musclé et bronzé qui affichait un sourire étincelant.

— Un mariage, un enfant et une maison ! s'écria-t-elle quand elle les eut rejoints. Je ne vous croyais pas aussi conservateurs, mes chéris, ajouta-t-elle en les gratifiant de baisers aériens. Cela dit, je suis forcée d'admettre que cette demeure est somptueuse.

— Je suis heureuse que quelque chose te plaise, commenta Tess avec une pointe d'acidité dans la voix.

— Oh, chérie, je t'en prie, cesse de tout prendre au pied de la lettre. Tu as l'air en pleine forme. Tu es radieuse.

Elle se tourna vers Nick et battit de ses faux cils en esquissant une moue aguicheuse.

— Nul doute que vous prenez bien soin de mon bébé...

Tess leva les yeux au ciel. Les allusions de sa mère étaient d'une trivialité affligeante ! Dieu merci, Nick, loin de s'en offenser, rétorqua :

— Ne vous inquiétez pas pour ça, Livvy.

Au grand soulagement de Tess, la conversation roula

ensuite sur des sujets plus légers. Il fut question de Zack — même si Livvy répugnait à s'attarder sur les progrès de son petit-fils, désireuse avant tout de soigner son image de vamp auprès de son jeune amant — et de leur départ imminent pour le Brésil. Peu après, sa mère s'éloigna vers un autre groupe de convives.

Tess tourna la tête et vit son père qui lui faisait signe de le rejoindre. Nick étant en pleine conversation avec un producteur de films, elle suivit volontiers Brian sur la terrasse éclairée de lampions multicolores.

— C'est une soirée très réussie, Tess, fit-il observer en guise de préambule.

— Je suis heureuse que tu apprécies, papa.

Il partit d'un petit rire.

— Ça ressemble un peu au spectacle de cirque dont tu n'as pas voulu le jour de ton mariage. Les rumeurs vont bon train, crois-moi. Mais il semblerait que rien ne puisse vous atteindre, Nick et toi et c'est tant mieux.

Fronçant ses sourcils broussailleux, il la considéra avec attention.

— Tu n'es pas affectée par tout ce remue-ménage autour de votre couple, j'espère ?

Elle secoua la tête.

— Personne ne réussira à abîmer ce que Nick et moi avons construit ensemble.

— On dirait que tout va bien pour vous, n'est-ce pas ?

— Très bien, en effet, papa.

Glissant un bras autour de ses épaules, son père la serra contre lui.

— Je tenais à te dire que je suis très fier de toi,

chérie. J'ai épousé trois femmes sublimes mais tu les as toutes éclipsées ce soir. Et tu sais pourquoi ?

— Parce que tu préfères ma robe bleue ? plaisanta Tess en faisant allusion à la couleur préférée de son père.

Ce dernier rit de bon cœur.

— Parce que tu as tout pour toi, Tessa, confia-t-il d'une voix vibrante d'émotion. Tu ne te contentes pas d'être belle et intelligente, tu rayonnes de bonheur. Et il n'y a rien de plus doux pour un père que de voir sa fille aussi heureuse.

Il déposa un baiser sur son front.

— Maintenant, retourne auprès de ton mari. Et dis-lui de ma part que je suis fier de lui aussi.

— Parce qu'il me rend heureuse ?

Brian Steele fronça les sourcils, soudain songeur.

— Nick était un enfant très agréable. Il m'a donné beaucoup de bonheur tout le temps où j'ai cru qu'il était mon fils. Quoi qu'il ait pu se passer dans sa vie, je crois que... qu'il est devenu un homme bon et loyal.

Son visage s'éclaira d'un sourire.

— Sinon, il n'aurait pas su te rendre heureuse.

« Un homme bon et loyal »... Ces mots dansèrent dans l'esprit de Tess.

Oui, ces deux adjectifs correspondaient parfaitement à Nick. Cela ne faisait aucun doute.

Mais qu'en était-il de ses deux demi-frères ? Etaient-ils comme lui ? Comment Nick réagirait-il lorsqu'il se retrouverait face à eux ? Elle l'avait appuyé dans sa démarche, mais tout à coup, le doute l'assaillait. Les événements de la vie forgeaient chaque être humain et elle ne savait rien de ce qu'avaient vécu les deux autres fils illégitimes d'Enrique Ramirez.

Quelles étaient leurs aspirations, leurs valeurs ?

La soirée s'acheva. Les invités prirent congé. Quand tout le monde fut parti, Nick entraîna Tess au lit où ils firent longuement l'amour.

Ensuite, allongés l'un contre l'autre, ils commentèrent la réception. Naturellement, il fut question de leurs familles respectives et Tess ne put s'empêcher d'évoquer leur départ imminent pour le Brésil.

— Tu sais, Nick, tes frères acceptent peut-être de te rencontrer uniquement pour toucher leur part de l'héritage, fit-elle observer d'un ton prudent.

Plus que tout, elle craignait que l'homme de sa vie essuie de nouveau de douloureuses déceptions.

— C'est possible. Mais ce sera peut-être un nouveau départ, répondit Nick avec philosophie en la faisant rouler sur le dos pour se pencher au-dessus d'elle.

Il suivit du bout des doigts le contour de sa bouche.

— Ils auront le choix, Tess. Allons là-bas et nous verrons bien. D'accord ?

Elle hocha la tête. Ils avaient franchi tant d'obstacles, tous les deux... Rien ne l'effrayait plus désormais.

Tant qu'ils demeuraient ensemble.

Le baiser que lui offrit Nick contenait une promesse d'amour éternel.

Aimer et chérir, pour le meilleur et pour le pire, jusqu'à ce que la mort nous sépare...

Le nouveau visage
de la collection Or

◆

AMOURS D'AUJOURD'HUI

Afin de mieux exprimer sa modernité et de vous séduire encore davantage, votre collection Or a changé de couverture et de nom depuis le 1er mars 1995.

Rassurez-vous, les romans, eux, ne changent pas, et vous pourrez retrouver dans la collection **Amours d'Aujourd'hui** tous vos auteurs préférés.

Comme chaque mois, en effet, vous y attendent des héros d'aujourd'hui, aux prises avec des passions fortes et des situations difficiles...

**COLLECTION
AMOURS D'AUJOURD'HUI :**
Quand l'amour guérit des blessures de la vie...

Chère lectrice,

Vous nous êtes fidèle depuis longtemps?
Vous venez de faire notre connaissance?

C'est pour votre plaisir que nous avons
imaginé un rendez-vous chaque mois
avec vos auteurs préférés, vos
AUTEURS VEDETTE dans les
collections Azur et Horizon.

Les **AUTEURS VEDETTE** vous
donneront rendez-vous pour de
nouveaux livres vedette.

Pour les reconnaître, cherchez
l'étoile... Elle vous guidera!

Éditions Harlequin

HARLEQUIN

LE FORUM DES LECTEURS ET LECTRICES

CHERS(ES) LECTEURS ET LECTRICES,

VOUS NOUS ETES FIDÈLES DEPUIS LONGTEMPS?

VOUS VENEZ DE FAIRE NOTRE CONNAISSANCE?

SI VOUS AVEZ DES COMMENTAIRES, DES CRITIQUES À
FORMULER, DES SUGGESTIONS À OFFRIR, N'HÉSITEZ
PAS… ÉCRIVEZ-NOUS À:
      LES ENTERPRISES HARLEQUIN LTÉE.
      498 RUE ODILE
      FABREVILLE, LAVAL, QUÉBEC.
      H7R 5X1

C'EST AVEC VOS PRÉCIEUX COMMENTAIRES QUE NOUS
ALLONS POUVOIR MIEUX VOUS SERVIR.

DE PLUS, SI VOUS DÉSIREZ RECEVOIR UNE OU
PLUSIEURS DE VOS SÉRIES HARLEQUIN PRÉFÉRÉE(S)
À VOTRE DOMICILE, NE TARDEZ PAS À CONTACTER LE
SERVICE D'ABONNEMENT; EN APPELANT AU
(514) 875-4444 (RÉGION DE MONTRÉAL) OU 1-800-667-4444
(EXTÉRIEUR DE MONTRÉAL) OU TÉLÉCOPIEUR
(514) 523-4444 OU COURRIER ELECTRONIQUE:
AQCOURRIER@ABONNEMENT.QC.CA OU EN ÉCRIVANT À:
      ABONNEMENT QUÉBEC
      525 RUE LOUIS-PASTEUR
      BOUCHERVILLE, QUÉBEC
      J4B 8E7

MERCI, À L'AVANCE, DE VOTRE COOPÉRATION.

BONNE LECTURE.

HARLEQUIN.

VOTRE PASSEPORT POUR LE MONDE DE L'AMOUR.

COLLECTION HORIZON

Des histoires d'amour romantiques qui vous mènent au bout du monde!

Découvrez la passion et les vives émotions qu'apportent à la Collection Horizon des auteurs de renommée internationale!

Captivantes, voire irrésistibles, ces histoires d'amour vous iront assurément droit au coeur.

Surveillez nos trois nouveaux titres chaque mois!

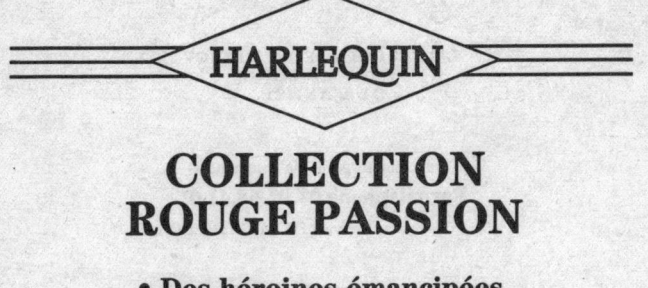

**L'ASTROLOGIE EN DIRECT
TOUT AU LONG
DE L'ANNÉE.**

(France métropolitaine uniquement)
Par téléphone 08.92.68.41.01
0,34 € la minute (Serveur JET MULTIMÉDIA).

Composé et édité par les
éditions Harlequin
Achevé d'imprimer en mars 2006

BUSSIÈRE
GROUPE CPI

à Saint-Amand-Montrond (Cher)
Dépôt légal : avril 2006
N° d'imprimeur : 60350 — N° d'éditeur : 12001

Imprimé en France